# RELACIONAMENTOS POSITIVOS

### Vença a dependência emocional e crie relações saudáveis

Lourdes Possatto

# RELACIONAMENTOS POSITIVOS

Vença a dependência emocional
e crie relações saudáveis

LÚMEN
EDITORIAL

*Relacionamentos positivos*
Vença a dependência emocional e crie relações saudáveis
Lourdes Possatto
Este livro foi publicado anteriormente com o título "A Essência do Encontro".
Agora ele apresenta nova capa e conteúdo ampliado pela autora.

Copyright © 2013 by
Lúmen Editorial Ltda.

2ª edição – dezembro de 2016

Direção editorial: *Celso Maiellari*
Direção comercial: *Ricardo Carrijo*
Coordenação editorial: *Fernanda Rizzo Sanchez*
Revisão: *Fernanda Almeida Umile*
Projeto gráfico e arte da capa: *Casa de Ideias*
Impressão e acabamento: *Gráfica Paym*

**Dados Internacionais de Catalogação na Publicação (CIP)**
**(Câmara Brasileira do Livro, SP, Brasil)**

Possatto, Lourdes
  Relacionamentos positivos: vença a dependência emocional e crie relações saudáveis / Lourdes Possatto. -- 1. ed. -- São Paulo: Lúmen Editorial, 2013.

  ISBN 978-85-7813-141-8

  1. Autoajuda – Técnicas 2. Autoconsciência 3. Autoestima 4. Convivência 5. Felicidade 6. Relações interpessoais I. Título.

13-11421                                                                  CDD-158.2

**Índice para catálogo sistemático:**
1. Relacionamentos positivos : Psicologia aplicada    158.2

Rua Javari, 668
São Paulo – SP
CEP 03112-100
Tel./Fax (0xx11) 3207-1353

visite nosso site: www.lumeneditorial.com.br
fale com a Lúmen: atendimento@lumeneditorial.com.br
departamento de vendas: comercial@lumeneditorial.com.br
contato editorial: editorial@lumeneditorial.com.br
siga-nos nas redes sociais:
twitter: @lumeneditorial
facebook.com/lumen.editorial1

**2016**
Proibida a reprodução total ou parcial desta obra
sem prévia autorização da editora
Impresso no Brasil – *Printed in Brazil*

Agradeço a Deus, à Presença eu sou,
aos mentores e mestres pela inspiração.
Agradeço pela minha vida, e espero
estar sendo fiel à manifestação de
minha alma imortal.
Agradeço aos meus ancestrais e aos
meus pais pela oportunidade de me
terem trazido para cá e pelos valores
transmitidos.
Agradeço ao José Carlos e também a
todos os meus clientes antigos, atuais
e futuros pela oportunidade de poder
aprender muito e pela troca de energia.

Nota importante: todos os nomes de pessoas citados neste livro, assim como as
imagens, são fictícios, a fim de preservar a sua real identidade.

# Sumário

A essência do encontro – com você, com o outro e com Deus ........................................................ 11

Introdução ........................................................... 13

Conceito de relacionamento .............................. 17

**Dependência emocional – saia dessa ilusão** ................... 32

*Problemas causados pela dependência emocional* ............ 46

Ansiedade .................................................................... 46

Depressão .................................................................... 48

Baixa autoestima ......................................................... 53

Carência emocional ..................................................... 61

Insegurança ................................................................. 68

*Regras básicas para promover a*
*independência emocional* ...... *71*

# Neurose a dois: ou o que chamamos de relacionamento familiar e conjugal ...... 75

## Aspectos que atrapalham qualquer relacionamento ...... 78

*Automanipulação* ...... *81*

Ilusão do ideal ...... 89

*Dificuldade de assumir responsabilidade*
*por si mesmo* ...... *93*

Papéis – roteiros ou scripts ...... 93

Tendência de se responsabilizar pelo outro ...... 99

*Ciúmes* ...... *105*

*Conceito de paixão x amor* ...... *119*

*Jogo de expectativas e cobranças* ...... *127*

*Timidez e dificuldade de expressão* ...... *132*

*Disputa e jogos de poder* ...... *138*

# Como estabelecer um diálogo ideal ...... 157

*Reforçando algumas reflexões importantes* ...... *166*

*Exercício* ...... *166*

# Como tornar os relacionamentos autênticos e saudáveis ...... 171

Relacionamento com o adolescente ............... 175

*Revendo conceitos quanto à prevenção às drogas............ 175*

O relacionamento ideal – conceito da chama gêmea............................................. 197

A relação com Deus............................ 207

Conjecturas pessoais com base na gestalt-terapia............................. 211

*Um certo encontro ............................................213*

*Contato.............................................214*

*Eterno movimento.............................................215*

*Conjecturas... sonhos e paixões ............................217*

*Todo casal deveria ler – poema de Arthur da Távola...........219*

# A essência do encontro – com você, com o outro e com Deus

A essência do encontro
É a incógnita do desencontro

Para que se encontre com o outro,
É preciso encontrar-se,
Despir-se de preconceitos,
Encontrar o ser verdadeiro.

A essência do encontro
É descobrir a si mesmo
Ver-se sem barreiras
Ir até o fundo do poço das ilusões
Entrar em contato com as sombras
Para depois emergir como *a alga*
Que não permanece no fundo do oceano.

O ser é muito mais do que pensa
E o encontro deve ser abrangente.
Afinal, há que se criar encontros...
Com quem? Comigo mesmo? Com a vida?

Enfim, se encontro a mim mesmo
Eu encontro o todo em mim! Deus!
O Uno encontrando o Todo.
Esta é realmente a essência do encontro!

Lourdes Possatto

# Introdução

O que significa relacionamento positivo? Positivo significa bom, assertivo, decisivo, e para promover relacionamentos positivos temos de levar em conta a maturidade emocional das pessoas envolvidas no relacionamento, seja ele de que ordem for. Relacionar-se é conviver. Reflita nas palavras *com viver = com vida, vivo, não morto*. Um relacionamento deve acontecer entre pessoas que estão vivas e bem; porém, nem sempre é o que vemos. Muitas vezes, ele causa uma espécie de *morte existencial*, em vez de uma real convivência pacífica, amorosa e boa. O relacionamento positivo implica em troca positiva e energética, ou seja, os dois lados doam e recebem. Também implica em diálogo, ou seja, na capacidade de verbalizar clara e sinceramente o que vai no coração; em falar e ouvir, senão seria um monólogo. As personalidades mais tirânicas e impositivas não gostam de ouvir; já as mais passivas não gostam ou não conseguem se expressar. Assim, vemos como é importante que as pessoas sejam maduras emocionalmente e tenham uma boa ideia de si mesmas para conseguirem suprir suas próprias carências e não serem dependentes emocionais. Temos de abordar o crescimento e o amadurecimento emocional, bem como refletir sobre as atitudes que mantemos e que nos tornam dependentes e infantis.

Este livro trata de encontros e relacionamentos, a partir do crescimento e da maturidade individual. Relacionar-se é uma verdadeira arte, e o que vemos, na maioria das vezes, são desencontros, que criam relacionamentos complicados e neuróticos. Inclusive, o encontro de cada um consigo mesmo é pautado mais pelo desencontro e distanciamento do que por uma integração autêntica. Quantas vezes ouço pessoas dizerem que estão perdidas dentro de si mesmas e não conseguem se perceber!

É fato que não somos seres isolados; ninguém é uma ilha, e acabamos interdependentes por necessidade. Ninguém pode, sozinho, fazer tudo de que necessita no dia a dia, como, por exemplo, fazer o próprio pão, tecer a roupa que usa, confeccionar o material de construção da casa etc. Somos seres interdependentes no sentido social, e precisamos do outro, somando seu trabalho e suas ações para a realização das coisas à nossa volta. É claro que alguém pode viver sozinho, sendo uma espécie de eremita por opção. Tudo é possível, cada cabeça, uma sentença!

Enfim, relacionar-se bem não é nada fácil; seria se fôssemos seres equilibrados, íntegros e seguíssemos certos mandamentos ditados pelos grandes mestres, como por exemplo, *Amai o próximo como a ti mesmo*[1]; *Não façais ao outro o que não quereis que ele te faça*[2], ensinados pelo mestre dos mestres, Jesus Cristo. Mesmo que tenhamos ouvido muitas vezes esses ditos, parece que não os seguimos, aliás, eles parecem tão difíceis que acabam se tornando um desafio transcendental. Grosso modo, não somos seres equilibrados, nem tão íntegros, e os relacionamentos com as pessoas à nossa volta, inclusive com nós mesmos, acabam sendo, muitas vezes, um esquema com muita tortura, neurose e incerteza.

Este livro aborda, então, uma série de aspectos e comportamentos que atrapalham os relacionamentos, e tem como objetivo oferecer dicas e reflexões para o estabelecimento de um encontro mais autêntico, de alguém consigo mesmo e com o outro, que pode ser o parceiro ou qualquer outra pessoa, pois os relacionamentos, sejam eles conjugais, fraternais, sociais, familiares ou profissionais incluem duas ou mais pessoas, não é mesmo? E o importante é entender como se pode criar um equilíbrio pessoal, pois se há uma maneira indireta de modificar alguém ou algo fora de você, é por meio da mudança de suas próprias atitudes, a partir da maior percepção de si mesmo. E, com certeza, se investirmos em nossa melhoria, tudo à nossa volta, inclusive o mundo, vai ganhar com isso, já que o meio é produto do homem.

Boa leitura e boas reflexões com o objetivo de promover relações mais saudáveis e autênticas!

---

1   Mateus 19:19 (Nota da Edição).
2   Lucas 31 (N.E.).

# Conceito de relacionamento

*Nós não existe, mas é composto de Eu e Você.*
*É uma fronteira sempre móvel onde duas pessoas se encontram.*
*E quando há encontro, então eu me transformo e você também*
*se transforma.*

F. PERLS

Afinal, o que é relacionamento? Relacionamento é a relação estabelecida entre duas pessoas, entre uma pessoa e um grupo, entre uma pessoa e ela mesma, entre uma pessoa e Deus ou entre si mesma e a vida. A relação interna de uma pessoa consigo mesma é um relacionamento, particular, sem dúvida, mas é um relacionamento, e, na maioria das vezes, pode ser bem complicado, pois não é muito fácil encontrar uma pessoa totalmente de bem consigo mesma, que não apresente defesas na sua relação, seja interna ou com as outras pessoas.

Afinal, todos nós nascemos num lar, onde recebemos as impressões de outras pessoas que não são necessariamente superequilibradas. A família não é equilibrada, mas ela pretende ser; porém pretender e ser de fato, são coisas bem diferentes.

É paradoxal, não é mesmo? É comum o conceito difundido de que a família é o centro do equilíbrio. Mas, na prática, sabemos que isso não é verdade. A família tenta ser equilibrada e se cobra isso. Mas como passar certo equilíbrio que as pessoas não têm? O famoso psiquiatra José Ângelo Gaiarsa diz que *a família é basicamente neurótica, e, como tal, o centro das neuroses*. E isso tem muita lógica, porque é na família que recebemos uma formação moral, com valores, ideias e conceitos sobre a vida. Aliás, o caminho da maturidade está justamente em questionar os valores que recebemos. Devemos, é claro, respeitar os valores que recebemos de nossos pais; afinal, como sempre digo, eles transmitem e fazem o melhor que podem; porém, precisamos questionar os valores que recebemos e verificar se são válidos para nós. Eles, pais, são seres humanos com fraquezas de caráter e podem não ser, necessariamente, equilibrados.

Acredito que estamos aqui nesta vida, e de vida para vida, evoluindo, caminhando para alcançar o equilíbrio; e o verdadeiro equilíbrio significa descobrir a nossa essência; assim, precisamos perceber que os conceitos que recebemos de nossa família, da sociedade como um todo, e, eventualmente, de algumas religiões deixam a desejar, porque pregam valores tradicionais do ego-personalidade, que não têm muito que ver com os valores essenciais da alma ou da nossa natureza verdadeira. Na maioria das vezes, recebemos conceitos pautados em ideias controladoras ou imposições de como sermos corretos ou adequados, sem levar em consideração o jeito de ser e o ritmo de cada um. Fomos levados a agir de forma massificada, defendendo a imagem do que deveríamos ser ou ter, sem o menor respeito à individualidade. Frequentemente, não fomos treinados a identificar nossos reais sentimentos, pelo contrário, fomos bombardeados com ideias transmitidas de como deveríamos pensar e ser, sempre visando algo externo, pontos de referências que não eram os nossos, mas sim os de um modelo social tradicional, que impõe formas de adequação que começaram em algum momento da história e se propagaram até os dias atuais. Não estou colocando a culpa em ninguém, aliás, na Gestalt--Terapia e na metafísica, nunca se culpa ninguém por nada. Ninguém é exatamente culpado, pois os comportamentos são aprendidos e transmitidos de geração em geração. Nossos pais fizeram somente o que aprenderam com as famílias deles, que, por sua vez, também receberam os modelos de alguém, e por aí afora; e tudo o que nos foi transmitido é o melhor que puderam fazer. O que precisamos rever é, justamente, o comportamento de repetir um modelo educacional que sentimos que foi ruim. E por que o repetimos? Porque é o único modelo que conhecemos. Quantas pessoas afirmam: *quando eu tiver meus filhos, não vou fazer com eles o que meus pais fizeram comigo, como, por exemplo, espancá--los*. E, lamentavelmente, quando menos percebem, lá estão elas agindo exatamente da forma que mais repudiaram. Isso é muito comum. O que precisamos desenvolver é um bom senso para entender o que recebemos, os conceitos que nos foram transmitidos, o que isso causou em nós, conhecermos o que somos de fato para resgatar a coragem de agir diferente e mudar. Como afirmei no livro *É tempo de mudança*[3], o que propiciará essa atitude de enfrentamento é justamente o

---

3   POSSATTO, Lourdes. *É tempo de mudança*. São Paulo: Lúmen Editorial (N.E.).

ponto de saturação, pois somente quando muito saturadas e infelizes, é que as pessoas estarão em condições de fazer algo diferente do que têm feito, para mudar e criar a possibilidade de ser felizes, somente por serem o que são, de verdade. Isso significa fugir do controle a que fomos submetidos pela nossa formação. Claro que sempre houve pessoas que tentaram contestar alguns valores e crenças, e, lamentavelmente, quase ou foram mesmo, linchadas. Tudo levava a crer que não se podia fazer nada de contestatório, havendo a necessidade do conformismo.

Até Sigmund Freud, o criador da psicanálise, considerava que *todas as pessoas são neuróticas e o máximo que conseguem durante a sua vida é entender a neurose e aceitá-la como um fato*. A cura total da neurose não era considerada fácil e era quase impossível de ser atingida. Ainda bem que os tempos mudam e estamos evoluindo.

Felizmente, as linhas mais existencialistas dentro da psicologia já veem o homem com um potencial de força interna, algo perfeito que está lá dentro, sendo que o processo de psicoterapia ajuda na percepção e no resgate desses potenciais essenciais. Alma, essência, *self*, eu interno e natureza verdadeira são, na verdade, sinônimos, que mostram que existe algo lá no fundo, que é a parte mais real da pessoa, a qual precisa entender sua criação, as crenças que introjetou; enfim, entender o ego ou a capa que se encontra ao redor da parte mais verdadeira. Assim, poderá resgatar o seu verdadeiro eu. Carl Gustav Yung chamava esse processo de individuação, ou seja, o caminho para resgatar o indivíduo verdadeiro dentro de cada um.

Segundo a física quântica e a metafísica, somos uma centelha de Deus. Tudo está ligado. Na realidade, não existe espaço no universo, tudo está devidamente preenchido por algo, que podemos chamar de Deus. Acredito que Deus não está dentro de nós, nós é que estamos dentro Dele. Como escreveu Joseph Murphy: *Nele existo, me movo e tenho o meu ser.*

A própria ciência já está constatando que setenta por cento do universo é composto por algo que os cientistas chamam de *nada*, e que esse *nada* tem uma massa considerável. Ou seja, é um nada que existe porque está lá, ocupa um espaço e tem um peso. Não é incrível? Os cientistas ainda chegarão lá. Só falta considerar que isso representa Deus, uma vez que o Todo está em Tudo. O nada é o Tão, o grande vazio, e o Tão é Deus, como disse Lao-Tsé.

Assim, voltando ao nosso tema, acredito que somos muito maiores do que pensamos ou temos consciência, e estamos aqui para perceber e resgatar isso; logo, não podemos afirmar que a família seja equilibrada, com base no que o real equilíbrio significa de fato. Pelos conceitos taoístas, e que são compartilhados pela Gestalt-Terapia, o equilíbrio está no aqui e agora, à medida que estamos totalmente centrados e percebendo se o que estamos fazendo tem que ver com o que estamos sentindo, dentro do que a realidade do aqui e agora exige.

No livro *Em busca da cura emocional*[4], discorri sobre o que chamo de Modelo Psico-Emocional-Ideal, cujo signifi-

---

4    POSSATTO, Lourdes. *Em busca da cura emocional*. São Paulo: Lúmen Editorial (N.E.).

cado seria a capacidade de atender a uma necessidade que temos por meio de uma ação apropriada, que atenda à necessidade com prazer e conforto, ou seja, com bom senso, que é o uso da capacidade de sentir e não de pensar. E isso é o equilíbrio!

Assim, devemos entender que as famílias são compostas por pessoas que estão aqui caminhando para um equilíbrio; logo, não podemos cobrar delas que nos ensinem o equilíbrio total. Aliás, sinto que os filhos estão ensinando mais aos pais do que o contrário. Espiritualmente falando, é um fato que tudo está certo e nada é por acaso, cada um tem os pais que precisa e estes têm os filhos de que necessitam. Um é o instrumento do outro. O filho não tem controle se os pais aproveitam o instrumento que ele, filho, é para eles aprenderem, mas, com certeza, o filho tem de entender que os pais são instrumentos para ele aprender. Por tudo isso, é sempre muito produtivo refletir para que serve ter os pais ou a família que se tem. O que temos a aprender com eles? O que podemos ensiná-los? Embora a família, a sociedade e algumas religiões nos passem valores e crenças sobre nós mesmos que mais nos prejudicam do que ajudam! Mas, lembre-se: ninguém é vítima. Tudo serve para evoluirmos e aprendermos, pois como já disse, nada acontece por acaso.

Dentro dessa aprendizagem e evolução devemos perceber que somos muito maiores do que pensamos ou aprendemos sobre nós mesmos. No livro *É tempo de mudança*, falei muito sobre isso, enfocando principalmente o fato de que para acompanhar as mudanças em nossa vida, precisamos perceber essa grande verdade. Assim, no que se refere ao tema relacionamentos, a grande dica para um bom relacionamento, seja consigo mesmo, ou com o outro, começa com o autoconhecimento, ou seja, por meio da tomada de consciência do que se pensa que é *versus* o que é, de fato.

Talvez aqui seja necessário colocar alguns conceitos espirituais, que não custa lembrar, sobre o nosso propósito de vida.

De vida para vida, vamos assumindo o que chamamos de carma (Lei de Causa e Efeito), que significa que tudo o que fizemos teremos de prestar contas. Por exemplo, supondo que, em algum momento de outra vida, a pessoa tenha tido uma atitude má contra alguém, prejudicando-o seriamente; nesta vida terá a oportunidade de encontrar novamente a pessoa para acertar sua história. Então, temos de entender que o nosso espírito tem em si a consciência de Deus, que são as leis divinas. Logo, a própria consciência atormentará a pessoa até que ela acerte as coisas que fez. São oportunidades de crescimento, amadurecimento e evolução; e todos nós sofremos a ação dessa lei. O que se envia, se recebe; o que se planta, se colhe.

Isso é fato; basta observarmos a realidade à nossa volta. Se por exemplo, plantarmos sementes de laranja, colheremos laranjas, certo? Não vamos achar que colheremos mangas, não é verdade? Ora, se a lei física funciona assim, então na parte espiritual, emocional e mental, é a mesma coisa.

*O que é em cima, é embaixo*, já dizia Hermes Trimegisto, e isso é verdade. Os taoístas, há milênios, pela observação da natureza, também chegaram a mesma conclusão. Pare e medite. Observe suas ações, mesmo no aqui e agora, e perceba o quanto de verdade tem nesses enunciados. Observe sua vida e tente sentir o que precisa aprender ou resgatar no meio em que está vivendo. Observe o que está atraindo. Isso vai lhe dar um toque sobre sua forma de pensar e sobre seu comportamento interno.

Então, para começar, precisamos entender que nem sempre estamos rodeados por espíritos amigos, principalmente dentro do núcleo familiar. Quem garante que a mãe ou o pai, com quem você tem a maior dificuldade de relacionamento, não são inimigos espirituais? Quem garante que você não foi um inimigo deles, e, enfim, encontraram-se com o propósito de se entender? Certa vez, perguntei ao mestre Sham (mentor que direciona as atividades da Fraternidade Shamshara), qual a melhor maneira de trabalhar o carma com alguém. Ele respondeu: *A melhor maneira de trabalhar um carma seu com uma determinada pessoa, é procurar aceitá-la como é, respeitando-a, sem tentar modificá-la, e não se importando, nem se deixando atingir pelo fato de ela ser como é. O dia que isso acontecer, seu carma com ela estará finalizado.*

Achei fantástico. E é um fato, pelo que tenho percebido e estudado. Assim, precisamos entender, então, que ninguém é vítima. Tudo bem que esquecemos o que fizemos ou o que nos fizeram em outras vidas. E isso é muito sábio por parte da vida, pois se já é difícil resolver ressentimentos desta vida, imagine se lembrássemos de tudo o que aconteceu em outras épocas; seria um verdadeiro inferno! Contudo, é muito interessante se perguntar, frente a uma situação complicada: *O que eu tenho de aprender ou resgatar com isso, com essa pessoa e com esses fatos?*

Garanto que o dia que entender o que tem de aprender, você terá vencido essa questão e evoluído com o fato, sem dúvida. Entenda que se você está passando por uma situação, sua alma sabe que você tem capacidade para isso, senão não estaria aqui. Não somos vítimas e escolhemos qual o tipo de vida que vamos ter, que família ou núcleo vai nos receber, o que precisamos trabalhar na vida atual etc. No momento da escolha, ainda estamos no astral, amparados pelos espíritos e com uma grande lucidez e consciência sobre o nosso próximo propósito de vida. Assumir tudo isso já é um início de trabalho que vai dar-lhe coragem para começar a se conhecer e assumir cem por cento de responsabilidade por si próprio, bem como diminuir seu sofrimento e revolta. Isso implica não se sentir vítima, em hipótese alguma.

E, com certeza, a primeira atitude em direção ao nosso autoconhecimento é aceitar a responsabilidade por nossa vida e pelo nosso comportamento. É claro que a formação que temos é importante no que se refere aos conceitos que introjetamos. Fomos crianças, vulneráveis, e estivemos na mão de nossa família, da sociedade que nos inculcaram ideias, valores, maneiras de ser, e tudo isso faz parte das crenças que adquirimos sobre nós mesmos. Inclusive a ilusão de dependência, sobre a qual falarei em capítulo à parte. Acreditamos que éramos dependentes, e isso foi real durante certo tempo, em nossa infância. Contudo, atualmente, somos adultos e temos de perceber que não somos dependentes de nada nem de ninguém, em nível real, e também temos de nos dar o direito de questionar as ideias e os valores que recebemos, para fazer valer o direito de sermos o que somos, indivíduos – únicos, de fato.

À medida que assumimos a responsabilidade pela maneira como nos sentimos, podemos resgatar o nosso grande poder de fazer opções. Temos o livre-arbítrio, e, às vezes, esquecemo-nos de usá-lo, justamente porque nos sentimos vítimas das situações e das pessoas. Mas não é bem assim, porque não são as circunstâncias ou condições que formam o problema, é a nossa reação às circunstâncias ou condições que constituem o problema verdadeiro.

Enquanto culparmos alguém ou alguma coisa pelo que quer que tenha acontecido ou esteja acontecendo, por como estamos nos sentindo, estaremos nos vitimizando, acovardando-nos e não querendo assumir responsabilidades por nós mesmos, muito menos querendo achar soluções para os nossos problemas. Culpar alguém pelos nossos problemas é criar obstáculos ao seu próprio crescimento.

E essa é a essência da dependência emocional. Você acha que a culpa é do outro, então depende dele, e só vai melhorar quando ele mudar. E se ele não quiser mudar, e não quiser entender o seu problema? É fato que você não tem controle sobre ele, então o que fará? Vai ficar chorando, esperando que ele faça algo, reconheça ou mude? Terrível situação, não? E, por incrível que pareça, essa situação gera uma grande ansiedade e um terrível mal-estar. E, para variar, esse desconforto só estará lhe informando que você está daquele jeito por conta da sua linha de pensamentos e postura e pela falta de opções que está se dando.

**Lembre-se**: o que você sente está relacionado com o que pensa. Isso é uma lei, fique atento!

Para sair dessa neurose, o que é necessário fazer? Aceitar o outro como é, perguntar-se o que, afinal, quer e pode fazer, de acordo com sua própria vontade e suas possibilidades, assumindo verdadeiramente a responsabilidade pelo seu próprio bem-estar, que não é obrigação do outro, mas sim seu próprio dever.

Às vezes passamos mais tempo culpando alguém do que fazendo o que precisa ser feito. Veja que culpar os outros é arrastar-se para trás. Quando assumimos a responsabilidade por nós mesmos, avançamos e nos tornamos mais fortes.

Nossa autorresponsabilidade torna-nos mais fortes, na proporção direta à eliminação de nossas emoções negativas e vitimistas.

Cada vez que surgir uma emoção negativa ou vitimista, afaste-a dizendo: *Eu sou responsável pelo que sinto. Eu sou responsável pelas minhas opções.* No momento exato em que parar de dar desculpas para si mesmo, estará de posse de suas habilidades reais para fazer algo por si mesmo, estará mais consciente do seu poder de escolher e de se oferecer alternativas.

É interessante perceber que responsabilidade e coragem andam lado a lado. Se temermos alguma coisa, temos de nos dirigir para a situação que motiva nosso temor. Somente ao fazer o que é necessário é que desenvolvemos a coragem de que precisamos. E a coragem surge quando se vivencia o que nos preocupa. A coragem não é ausência de medo, é a sabedoria de agir apesar do medo. Lembre-se de que ter coragem é fazer o que se receia e que não haverá coragem a menos que se tenha medo. Perceber o medo e aceitá-lo sem, todavia, deixar-se paralisar, e ousar enfrentar o medo é ser *senhor* de si mesmo, é estar de posse do seu poder.

O desejo de fazermos e assumirmos que se não fizermos, ninguém fará por nós, cria a coragem para fazermos. E precisamos começar a fazer, pois isso criará a capacidade que aumentará nossa confiança e a própria coragem.

É por tudo isso que reafirmo que o encontro verdadeiro com o outro começa com o encontro consigo mesmo, a partir da ideia de responsabilidade cem por cento por si próprio. Pelo outro, você não tem responsabilidade nenhuma, pois cada um é responsável por si. E, dentro de um relacionamento, seja lá de que ordem for, você tem cinquenta por cento de responsabilidade, porque a sua parte somente poderá ser feita por você, e a parte do outro, por ele. Relacionamento envolve duas pessoas, e para que seja bom, cada um precisa fazer sua parte, tem de haver troca, senão não há encontro nem um relacionamento verdadeiro. Aliás, um relacionamento se esgota quando não existe essa troca. Não pode ser unilateral, onde somente um dá e nunca recebe. Isso não existe na natureza, onde em tudo há trocas. Por exemplo: digamos que você plante uma semente num vaso. Para que a semente germine, floresça e se desenvolva, você precisa cuidar, colocar água, eventualmente nutrientes etc. Experimente nunca colocar água no vaso. Será que a planta vai nascer e se desenvolver? Não, é claro. Assim é o relacionamento, precisa de trocas, *feedback*, diálogo, compreensão, presença, caso contrário não há um relacionamento, mesmo que seja de você para si, onde a lei é a mesma.

Na Gestalt-Terapia, temos a oração da Gestalt. Ela elucida os conceitos de responsabilidade e de ausência de expectativas. Aliás, a expectativa existe quando há sacrifício em uma relação. A regra psicológica é a seguinte:

- Sacrifício que gera expectativa, que gera frustração, que gera cobrança, que gera briga...

Assim, se você já estiver na última etapa e quiser parar de brigar, reveja os sacrifícios que está fazendo. Não adianta dizer que faz e não espera nada. Não é verdade, a não ser que o fazer seja o mais absolutamente espontâneo e reflita sua vontade verdadeira. Caso contrário, haverá expectativa, sim, porque ela é uma defesa psicológica perante o ato de sacrificar-se.

**Oração da Gestalt**

*Eu sou eu*
*E você é você*
*Eu faço as minhas coisas*
*E você faz as suas*
*Não estou neste mundo para atender às suas expectativas*
*E você não está aqui para atender às minhas*
*Eu sou eu*
*E você é você*
*E, se por acaso, nos encontramos*
*É lindo*
*Senão, nada há a fazer.*

A Gestalt-Terapia é uma linha de psicoterapia criada pelo alemão Frederic Perls (1895-1970), que tem dois princípios muito importantes: a necessidade de assumir a responsabilidade e a consciência do aqui e agora. Já ouvi pessoas dizerem que a oração é fria. De fato, pode até parecer insensível, porém é muito verdadeira!

É difícil saber se um relacionamento afetivo dará certo ou não. Pois não há garantias. Atendo pessoas que querem se casar para saber como é, e casados que querem se separar porque não aguentam a vida a dois. Contudo, sinto que conseguir ter um bom relacionamento é o desejo de todos. E, para fazermos uma boa tentativa, podemos começar a trabalhar em nós mesmos para sermos autênticos. O que não vale, no fim de um relacionamento é ficar colocando a culpa no outro. Afinal, considere: você atrai o que está vibrando, e tudo acontece para que você aprenda algo. Assim, por favor, não fique se lamentando; pondere, reflita as atitudes que atraíram *o abacaxi* para você, e considere que se você aprendeu com o que vivenciou, poderá mudar suas atitudes e aí, sim, atrair algo bem melhor. Não acha que vale a pena tentar?

Para que você se encontre com alguém, de fato, é preciso encontrar-se consigo mesmo. O encontro real acontece quando há espaço e liberdade para ser você de verdade. Somente quando você se ama verdadeiramente é que pode amar o outro de verdade. Quando você se dá liberdade, pode dar liberdade ao outro. Confiando em si mesmo, confia no outro. Entenda confiar como respeitar, o que não significa fazer o que ele quer, na hora ou do jeito que ele quer. Não, isso é mimo. Respeitar o outro significa aceitá-lo como ele é. Somente quando você se respeita, é que poderá respeitar o outro. É por esse motivo que não há encontros verdadeiros na maioria de nossos relacionamentos. O encontro impõe uma troca, é uma questão de dar e receber, *biofeedback*.

Todos sabem como é chata aquela pessoa que é carente, que fica o tempo todo querendo que o outro dê isso, faça aquilo, somente para que ela se sinta a mais lindinha, a mais gracinha, a mais amada etc. Já ouvi absurdos do tipo: *Ele me dá muita liberdade, acho que no fundo, não me ama.* A maioria das pessoas acha que um relacionamento impõe simbiose, ou seja, que as duas pessoas sejam iguais, façam tudo junto, do mesmo jeito, gostem das mesmas coisas... Isso é absurdo, uma vez que não existem duas pessoas iguais. Sendo assim, como se pode querer que exista afinidade tão grande? Isso é neurose.

\* \* \*

O que atrapalha um encontro? O que atrapalha o relacionamento?

Dependência emocional, insegurança, carência emocional, ciúmes, excesso de timidez, dificuldade de se expressar, jogos de expectativas e cobranças e jogos de poder; tudo isso atrapalha um bom relacionamento, seja ele qual for, entre amigos, cônjuges, namorados, irmãos, amigos, um time, uma empresa, religião; afinal, onde quer que você vá, você se leva junto, não é mesmo? Você se leva e as suas neuroses como consequência de sua insegurança, falta de confiança e de autoconhecimento.

Vamos dar uma olhada em cada um desses aspectos neuróticos para que você possa ter dicas e reflexões para se conhecer melhor e promover, consequentemente, relacionamentos mais positivos, saudáveis e nutritivos.

## Dependência emocional – saia dessa ilusão

É interessante perceber como achamos que dependemos dos outros. Todos nós temos uma espécie de ilusão sobre a dependência. Ideias como estas:

- Sem ele eu não vivo.
- Sem esse emprego jamais sobreviverei.
- Eu não conseguiria viver em outro lugar.
- O relacionamento me mantém vivo.
- Se ela me deixar eu morro.

Além de outras. Isso é, na realidade, uma grande ilusão que criamos; porém qualquer ideia nesse sentido tem uma raiz.

Todos nós estivemos dentro de um útero, numa condição superconfortável; afinal, não tínhamos com que nos preocupar; éramos alimentados automaticamente, nem respirar precisávamos. Contudo, um dia, nascemos e o cordão umbilical que nos sustentava foi rompido. Desse momento em diante, tivemos de respirar sozinhos e tudo o que ingeríamos era metabolizado pelo nosso organismo. Inclusive se tivéssemos alguma doença, os remédios faziam efeito dentro do nosso corpo, de acordo com a estrutura básica e celular do nosso corpo e no tempo que o nosso organismo conseguia reagir. Mesmo que nossos pais ou familiares nem dormissem de preocupação com a doença, melhorávamos e reagíamos de acordo com nossa própria natureza.

O que acontece é que por sermos pequenos e realmente dependentes nesse momento de nossa vida, precisávamos dos cuidados de alguém maior que nós, mãe ou pai ou alguma outra pessoa para nos alimentar, banhar, instruir e orientar. Assim, crescemos com a impressão de que dependíamos de alguém, o que é de fato, verdade, para o momento da nossa infância.

Acontece que, com o tempo, crescemos e aprendemos a fazer coisas sozinhos; aprendemos a cuidar de nós. Aprendemos a tomar banho, comer e manejar os talheres e já somos capazes de preparar nossa própria comida, estabelecer o que queremos comer; enfim, tornamo-nos autossuficientes. Será mesmo?

A dependência emocional é justamente isso. Apesar de saber que somos autossuficientes, continuamos achando que dependemos de alguém, de algo, ou de alguma situação para nos mantermos vivos. E, com isso, deixamos de considerar a nossa natureza. A natureza atualizadora em nós é que nos faz nascer no momento certo. Não nascemos na hora que alguém quer, mas sim na hora que devemos nascer, no momento que a natureza em nós impulsiona o nosso nascimento. Tudo o que acontece em nossa vida, em nosso crescimento e desenvolvimento é impulsionado pela nossa natureza. Os dentes nascem na hora certa, engatinhamos e começamos a andar no momento certo e nos desenvolvemos de acordo com esse padrão natural interno que impulsiona, direciona e nos desenvolve, de acordo com a nossa identidade única.

Somos indivíduos, e, como tal, únicos, e com todo o direito de sermos o que somos, de expressarmos o que sentimos e fazermos o que nos satisfaz e completa. Mas será que fazemos isso mesmo? Não fazemos, porque ainda carregamos conosco a ideia de que dependemos de alguém para ser feliz ou completo.

Por conta da ilusão de dependência emocional, um dia acreditamos que precisávamos atender às expectativas de nossos pais ou familiares, ou das pessoas que cuidavam de nós. Todos nós recebemos valores, imposições e cobranças, e entendemos que precisávamos atender às expectativas ou obedecer, para sermos aceitos, valorizados e amados. Porque se não o fizéssemos, seríamos criticados, levaríamos uma superbronca, apanharíamos talvez, e o nosso maior medo inconsciente era que, se fôssemos e expressássemos o que realmente sentíamos ou queríamos, era possível que ficassem magoados conosco e nos abandonassem, e se isso acontecesse tínhamos medo de morrer, sucumbir, desamparados e sozinhos. Como consequência e por instinto de sobrevivência, acabamos acreditando que não podíamos ser o que éramos na verdade, porque corríamos o risco de morrer. Com isso, acabamos montando um esquema de sobrevivência, onde precisávamos atender às expectativas dos outros, e, por conseguinte, começamos a depender da aprovação deles. Atender às expectativas implicou em não sermos nós mesmos, segundo a natureza verdadeira em nós. É muito importante que entendamos esse esquema de sobrevivência que montamos em nosso inconsciente, para que possamos nos libertar e re-esquematizar os nossos procedimentos, a partir da ideia de que somos autossuficientes, uma vez que respiramos o nosso próprio ar e ninguém pode fazer isso por nós. Na realidade, somos autossuficientes desde o momento em que nascemos e tivemos cortado o cordão umbilical que nos ligava à nossa mãe. Temos de absorver o fato de que a natureza atualizadora dentro de cada um de nós é que nos dá o suporte, a liberdade e a condição de sermos únicos e seres autossuficientes. De fato, a dependência real existia somente quando éramos bem pequenos. Devemos entender que o nosso medo subliminar é o de sermos abandonados e sucumbirmos, morrermos, acabarmos. Isso tudo acabou associado ao fato de ser o que somos verdadeiramente, como natureza única. Se mostrássemos e fôssemos o nosso ser individual, correríamos o medo de sermos reprovados, não aceitos, abandonados, e daí a sensação de morte existencial.

Esse é o grande medo que temos inconscientemente: mostrarmo-nos de verdade, sermos abandonados e morrermos. A dependência emocional vem da ilusão de que não viveremos sem apoio, opinião e presença do outro ou de uma condição específica. E, em razão desse esquema de sobrevivência, a maioria de nós passou a viver de acordo com a expectativa do outro; sim, porque entendemos que se atendêssemos às expectativas, seríamos considerados bonzinhos e aceitos, valorizados; só que ao fazer isso, o que realmente aconteceu é que nos abandonamos. Analisemos esta atitude: quando você coloca o outro e o conteúdo dele como prioridade, quando literalmente você vive para o outro e em função dele, você não se coloca e as suas necessidades como prioridade, certo? Ao agir assim, você se deixa em segundo, terceiro ou último plano; com isso, você já se colocou para depois, de lado, e isso significa que se abandonou. Vejo tanto isso no consultório! Pessoas que se abandonaram por uma vida inteira, mulheres que abdicaram de si mesmas em prol do marido, dos filhos, dos próprios pais, e, num determinado dia, quando os filhos foram embora, para estudar fora ou se casaram, o marido morreu ou se separou, os pais morreram, ela se vê totalmente perdida, chorosa, desesperada, com um vazio interno enorme, aquilo que chamamos de síndrome do ninho vazio, ou numa crise depressiva existencial, ou dentro de um quadro de síndrome do pânico.

E o pano de fundo emocional de um quadro como este é o autoabandono: ela nunca aprendeu realmente a colocar--se como prioridade. Ela nunca foi treinada para se olhar, considerar seus sentimentos, e, com isso, desenvolveu pontos de referência externos. Atualmente, nem sabe por onde começar para se achar, nem sabe identificar seus sentimentos, porque não tem mais gente por quem possa viver. Triste isso, não? Por onde começar? Onde está a cura num caso desses?

A cura é encontrada quando a pessoa entende esse âmago emocional, pois a partir daí ela consegue ter condições de rever todo o esquema montado e modificar suas atitudes, passando a considerar-se como prioridade, assumindo responsabilidade e fazendo por si mesma. A cura é possível, mediante o processo de consciência de que há uma criança abandonada dentro dela, e que, hoje, ela tem de aprender a suprir os buracos emocionais de toda uma existência onde essa pessoa viveu para os outros, em função dos outros, e nunca em função de sua própria vontade ou necessidade. Ao começar a olhar para suas próprias necessidades e direcionar suas ações para atender a essas necessidades, a pessoa muda suas atitudes, propiciando a cura emocional. Esse tema foi amplamente abordado no livro *Em busca da cura emocional*, no capítulo *Trabalhando com a criança interna*. Devemos entender que todo o sofrimento, até mesmo o abandono dos familiares, serve para que a pessoa cresça e amadureça. É o que eu chamo de encruzilhada. Há determinados momentos na vida de uma pessoa em que ela precisa fazer uma opção, continuar no mesmo caminho, fazendo tudo do mesmo jeito, o que implica continuar sofrendo, colhendo os mesmos resultados, ou se propor a se conhecer profundamente e mudar suas atitudes, ou seja, tomar um caminho diferente a fim de obter novos resultados.

É fato que a mudança somente ocorre mediante dois aspectos: tomada de consciência e mudança de atitudes. Falei muito sobre isso no livro *É tempo de mudança*.

A vida cobra evolução em todos os sentidos e a percepção de que o indivíduo é forte por si só em sua natureza. Assim, quando alguém se apoia demais no outro, um dia a muleta lhe é tirada. É quando acontece a separação, a morte, o rompimento, tudo isso servindo para que o indivíduo reveja suas posturas perante a própria vida e possa crescer sem a muleta, ou o pseudo-apoio externo. É pseudo-apoio porque não existe apoio completo vindo de fora. A pessoa lá fora dará o apoio que sabe, pode e quer, jamais será na medida em que você precisa. O quanto você precisa, só você sabe e poderá se dar.

O padrão real da vida é que precisamos assumir a verdade sobre nós mesmos, ou seja, cada um deve viver de acordo com sua própria natureza e sobreviver com qualidade, justamente por isso. Imagine-se muito doente; por mais que todos se preocupem com você, por mais que alguém lhe dê um soro com aminoácidos, proteínas, vitaminas e sais minerais, quem vai receber, metabolizar isso e reagir ou não, é o seu corpo, e não a vontade das outras pessoas. Você vai continuar vivendo se quiser, só você poderá decidir isso. Percebeu? Na minha família, tive uma tia que sofria de câncer intestinal. Os médicos lhe deram quatro meses de vida; contrariando essa expectativa ela viveu seis anos. E um tio completamente saudável, sem nenhuma doença, de repente começou a fazer alguns processos de jejum por conta de sua religião, morreu em um mês, contrariando a expectativa de que viveria até os cem anos, uma vez que seu pai vivera até cento e cinco. Interessante, não é? Saint Germain nos coloca que na realidade, morremos quando queremos. É uma opção.

Também sinto que somos donos de nossa vida, e a nossa alma, ou natureza verdadeira, sabe qual é o nosso propósito para esta vida, e é por esse motivo que somos cobrados. A vida nos empurra por meio do sofrimento, das doenças, das insatisfações, e tudo isso tem o objetivo de nos comunicar que o nosso caminho não é o que temos trilhado, mas sim outro mais de acordo com nossa real essência. Essa é a encruzilhada que a vida nos coloca, e a opção de escolher qual caminho seguir é totalmente nossa. Dependendo do que escolhemos encontraremos completude e serenidade, se for o caminho da essência; ao contrário, se continuarmos no do ego, ficaremos sofrendo. Nem sempre o que pensamos é verdadeiro; assim, procure sentir que a alternativa, a postura ou o pensamento que lhe confere alívio, conforto, alegria ou prazer é o caminho da essência, é o que é certo para você; a alternativa que amarra, dá um nó no peito, causa desconforto, não é o caminho da essência, mesmo que o mundo inteiro à sua volta queira convencê-lo de que é o melhor, o mais correto, o mais adequado etc. Se sua sensação é ruim, não opte por essa alternativa. Aprenda a ouvir as mensagens de sua essência por meio do seu sentir. As boas ou más sensações em nosso peito, em nosso corpo, nos dão o toque. Ouça! Sinta! Entre em contato com o que sente!

E afinal, é possível sair disso, do sofrimento, da ilusão de dependência? Sim, é claro! Precisamos arregaçar as mangas e fazer por nós. Pare de achar que você não vive sem determinada pessoa. Você pode amar muito alguém, porém precisa perceber que não depende dela para viver. Você pode, é claro, ficar triste com a ausência de alguém, porque morreu ou foi embora; porém, o sofrimento e a depressão advindos desse fato só mostram que você acha que depende dela, o que não é verdade. Quem perdeu alguém que morreu, por exemplo, ou se separou, por acaso morreu ou está vivo?

Certa vez, uma senhora procurou-me para marcar uma consulta queixando-se de um processo de depressão pela morte do filho. Falando com ela por telefone, fiquei pensando que talvez o filho tivesse morrido havia meses. Durante a consulta, ela me informou que o filho havia morrido havia dezesseis anos. Fiquei pasma. Trabalhei muito com ela a mensagem que sua depressão estava querendo lhe passar. Como já colocado nos outros livros, *Em busca da cura emocional* e *É tempo de mudança*, uma das raízes da depressão é o fato de que a pessoa não aceita a realidade; outra raiz é o longo processo de negação de si mesma e a desconsideração. Essa cliente não aceitou a morte do filho, porque se achava dependente emocional dele. Em seu íntimo, aceitar a morte dele era como um suicídio, porque em sua neurose de dependência, achava que uma parte de si mesma tinha ido embora com ele. É claro que toda essa crença teve raízes justamente em razão de uma educação austera, com valores rígidos, onde tudo era feito visando aos outros. A melhor roupa, os melhores talheres, a melhor toalha eram somente usados quando havia visitas. Ela carregava consigo uma série de crenças: não se permitia falar o que pensava e acreditava que era extremamente dependente emocionalmente da aprovação de alguém, precisando sentir que tinha agradado ou sido útil. Nesse esquema, não ser aprovada gerava a sensação interna de ser um erro, uma coisa ruim. Ela foi orientada a jamais *ofender* alguém. E *ofender* só significava falar o que pensava. Vemos assim, o que estava implícito em seu modelo emocional, ou seja: *Você não pode falar o que pensa, jamais poderá expressar o que sente de verdade, pois isso pode ser muito perigoso.* A crença introjetada foi de que não poderia falar, nem sequer fazer algo para si mesma; o foco deveria ser sempre o outro. Primeiro, achava que dependia da aprovação do pai, depois do marido, e vivia em razão do filho, uma vez que condicionava sua alegria à do filho. Ora, vemos que a vida é sábia, ela teve um filho que tinha como propósito um tempo curto de vida, e tudo isso servindo para que ela pudesse crescer como pessoa justamente a partir de sua morte. A partir desse fato, a depressão veio à tona, para empurrá-la rumo ao resgate.

Impressionante como essa tônica educacional é comum! Quantos de vocês não receberam a mesma informação ou imposição? Assim, vemos como é importante questionar as crenças recebidas para tirar a força de um esquema ilusório montado em seu inconsciente. Esse questionamento leva à consciência da sua verdade interior, criando a oportunidade de você se libertar e ser mais leve, de acordo com sua natureza verdadeira.

Vejamos como exemplo o caso de uma cliente, com quadro bastante depressivo e imensa vontade de romper o casamento com um sujeito alcoólatra e briguento, que a maltratou a vida inteira. A senhora tinha uma séria de crenças desvalorizadoras, uma vez que achava que só tinha valor se suas ações fossem em razão de alguém e desde que o agradassem, claro. Ela mesma fez a seguinte colocação:

> Sinto um desânimo enorme em fazer as coisas para mim mesma; no entanto, por mais exausta ou desanimada que me sinta, se alguém, seja lá quem for, me chamar e pedir algo, por mais sacrificante que seja, eu vou fazer e não me sinto desanimada.

Veja como essa colocação traduz o descaso e a falta de interesse por si mesma, como se fosse errado ou entediante ocupar-se consigo. Isso, na realidade, significa crenças introjetadas, onde, em algum momento, ela acreditou que voltar a atenção ou fazer algo para si mesma era um erro abominável. Trabalhando com ela o seu modelo educacional, ela se lembrou claramente de um dia, depois de ter concluído o ensino médio em uma escola estadual, e querendo cursar uma faculdade paga, ao expressar sua vontade, ouviu da mãe o seguinte comentário: *O quê? Você vai fazer seus irmãos passarem fome? Como você é egoísta!*

Isso lhe causou um tremendo impacto. Ela engoliu o comentário como se fosse a mais absoluta verdade. É fato que eram pobres e que ela não teria dinheiro para pagar a faculdade. Contudo, o comentário poderia ter sido colocado de forma diferente, apesar de entendermos que a mãe fez o que achou melhor, não podemos condená-la. O fato aqui é que essa cliente, desde muito cedo, conviveu com cobranças desse tipo, em que ficou claro, como filha mais velha, que era sua obrigação cuidar dos irmãos menores e, principalmente, da mãe, que já sofria muito nas mãos de um marido ausente e irresponsável. Seu âmago emocional era um medo terrível de contrariar a mãe. Caso não correspondesse às suas expectativas, sentia que iria magoá-la, e ela já era muito sofrida. Se isso acontecesse, corria o risco de perder a consideração da mãe por ela, o que iria deixá-la com um sentimento de culpa, com muito medo de ser abandonada, e, se fosse abandonada, ficaria sozinha, sentindo-se como uma ré, que fizera algo muito errado. Achava também que se magoasse a mãe somaria mais sofrimento à vida amargurada dela, e a culpa seria ainda maior. O que vemos aqui? Um quadro de dependência emocional muito grande, com um âmago de culpa e a necessidade de consequente punição; no casamento, ela transportou esses valores emocionais, todas essas cobranças para o relacionamento com o marido, e, apesar de sempre ter sido o esteio da casa, porque era ela quem trabalhava, ainda assim trazia o medo inconsciente de achar que não conseguiria viver sem o tal marido, achando-

-se dependente dele. Daí a dificuldade de se posicionar num casamento horrível, onde não havia troca, respeito, felicidade ou valorização.

Uma das coisas importantes que foram trabalhadas com ela foi fazê-la perceber o quanto não recebera nada de positivo, apesar de toda a doação e todos os sacrifícios que fizera pelo marido. Isso é claro, tinha que ver com todas as atitudes para consigo mesma, que refletiam essa vibração de desrespeito e desvalorização. Afinal, a própria depressão foi desencadeada a partir de todas as suas atitudes erradas e irresponsáveis para consigo. A depressão estava ali para lhe mostrar o quanto ela precisava parar e refletir sobre suas crenças, seus valores, para, finalmente, assumir responsabilidade por si, parando de esperar que a aprovação e consideração viessem de fora.

Ela, que se julgava uma pessoa fraca, precisou perceber como sempre fora forte; primeiro, assumiu ser a responsável pelo humor e pela vida da mãe, pelo sustento e pela felicidade dos irmãos, com isso se abandonou e colocou todos como prioridade. Depois de casada, transportou esse comportamento na relação com o marido, os filhos, os sogros, sempre se deixando para depois. E, assim, pôde perceber que as dores e a depressão estavam querendo chamar sua atenção para que cuidasse mais de si, mostrando-lhe que sempre usou seus potenciais para cuidar dos outros e nunca de si mesma. Em poucas sessões, ela teve uma melhora incrível, compreendeu sua real responsabilidade e redirecionou sua força e energia para mudar suas atitudes. E, finalmente, se separou e foi morar sozinha.

Quantas pessoas continuam num péssimo relacionamento porque acham que não conseguem viver sozinhas? Se você está nessa situação, pare e pense:

- Quem respira por você?
- Que organismo metaboliza o que você come?
- Quem consente ser maltratado?
- Quem é o responsável por você?

Veja bem, você já cresceu, a sensação de dependência não é verdadeira, é pura ilusão. E se o relacionamento está ruim, você já está sozinho! Como ter medo de ficar sozinho quando já se está convivendo com a pior das solidões, que é o estar sozinho a dois?

Pare e sinta: será que vale a pena continuar se enganando?

Ainda falando da dependência emocional, é muito comum que depois de perdermos nossos pais, nos sintamos *esquisitos, meio abandonados*. Isso tem que ver com a sensação de dependência do eu emocional, que acha que se os pais forem embora estaremos perdidos e morreremos. É importante entender que isso é a ilusão que criamos. Se você já perdeu um de seus pais ou os dois, pare e perceba: você também morreu? A impressão de que algo de você foi junto é verdade. Foi a sua ilusão de dependência que foi junto. Mas você está vivo e tem uma supermissão: crescer emocionalmente, cuidar-se e fazer por si mesmo tudo o que esperou que eles fizessem e nunca fizeram. Sua missão é preencher os seus buracos emocionais.

É claro que todos nós esperamos ser cuidados, paparicados, valorizados para nos sentirmos bem. Contudo, precisamos pensar: *E se não formos? Será por um erro de nossa parte?*

É claro que não! As pessoas vão fazer por nós o que sabem, o que querem e podem, e de acordo com a vibração que estivermos emanando. Lembre-se de que sua energia chega antes da palavra, e você atrai aquilo que emana. A energia que é emanada está relacionada às atitudes em relação a nós mesmos. Não interessa o que você faz para os outros, interessa se você está do seu lado ou contra. Assim, dependendo das suas atitudes, se emanar uma vibração de desrespeito, atrairá desrespeito. Caso contrário, se vibrar autoconsideração, é o que receberá. Logo, que tal assumir isso e começar a fazer para si o que espera que venha de fora? Ao agir dessa maneira, o que espera virá facilmente, porque você estará fazendo sua parte. Vamos lembrar que ninguém é vítima, e você teve a família que precisava, justamente para perceber sua missão de amadurecer e se suprir, tendo a possibilidade de trabalhar sua autoestima e valorização.

Outrossim, é muito importante entender que o modelo emocional que criamos com relação à família primária, automaticamente é transferido para as pessoas as quais consideramos *superiores* a nós, ou para as pessoas as quais amamos, por mais incrível que possa parecer. A tendência é projetar pai e mãe no cônjuge, no chefe, naquela amiga íntima, nos filhos etc. E o modelo se repete, invariavelmente, com a pessoa se abandonando para priorizar pessoas que ela **ama, admira e a quem acha que tem de se submeter à aprovação.**

**Reflita:** quem tem de se aprovar é você mesmo. Trabalhe nessa ideia!

## Problemas causados pela dependência emocional

### Ansiedade

No que se refere à dependência emocional, muita ansiedade é criada quando se vive em razão da vontade ou do ritmo do outro, ou quando se espera algo de alguém. Isso é muito chato. Veja alguns exemplos:

– *Querido, podemos falar sobre aquela viagem de férias?*

– *Ah, agora não dá, depois eu vejo. Lembre-me disso amanhã.*

– *Ok. Está bom, querido* – ela responde com uma frustração velada.

No outro dia:

– *E aí, sobre a viagem...*

– *Ah, espere, agora não, estou com a cabeça cheia! Depois eu vejo...*

E a esposa, sem graça, nem responde e sai chorando. E assim vai... até que as férias chegam e nada foi programado, porque ela ficou esperando, certo?

Outro exemplo:

– *Oi, amiga, está passando um filme legal e eu queria assistir, quer ir comigo?*

– *Humm, logo hoje? Acho que não vai dar, estou com uma cólica e tanto...*

– *Ah, não dá para tomar um remedinho? Vamos, vai?*

– *Hummm, não, não tô legal mesmo, você me desculpa?*

– *Ok...* – responde a amiga com a voz apagada. – *Fica para outro dia... Tchau! Beijo!*

Ela desliga o telefone e comenta meio choramingando: *Puxa, como é chata e injusta. Todas as vezes que ela preci-*

*sou de mim, eu fui, mesmo com cólica, mesmo sem vontade! Que mal agradecida.*

Claro que ela murmura de si para si, jamais teria coragem de falar o que sente à amiga; assim, o aborrecimento aparentemente acaba passando e ela perdoa a amiga, porque acha que depende dela. O pior é que agora está com uma frustração dobrada; primeiro, porque depois de tanto se sacrificar pela amiga, ela não reconheceu; segundo, porque não tem coragem de ir sozinha ao cinema, pois é dependente e não faz nada sozinha, não acha que é capaz. Que sofrimento, não? A ansiedade e a frustração a cada expectativa que não se realiza, coloca a pessoa dependente numa espécie de vácuo; ela sente uma sensação de vazio não preenchido, e não sabe se esse vazio será preenchido algum dia, mesmo porque, como não conta consigo mesma, não pensa em preencher simplesmente com ações para si mesma, sem depender do outro, de seus atos, decisões ou disponibilidade.

Como é que você se sente? Esses são pequenos exemplos, mas se observar direito, o somatório de situações de espera e dependência resulta numa série de frustrações e irritações, que acabam criando um barril de pólvora prestes a explodir internamente. Você passa uma vida inteira esperando pela vontade, iniciativa ou ação do outro, que nunca vêm, e por quê? Porque ele não quer, e, no mínimo, tem um ritmo diferente do seu. Não digo que duas pessoas de ritmos diferentes não possam conviver; com certeza podem, porém, o importante é que não dependam uma da outra, que cada uma possa agir espontaneamente e tomar a iniciativa para cuidar de si mesma e de seus próprios interesses.

Interessante é que o modelo de relacionamento tradicional poda a liberdade da individualidade de cada um, e, com isso, acaba enfatizando a dependência emocional, e todos acham que depender é normal. Pelo contrário, depender é antinatural, uma vez que é pura ilusão. Seu organismo não depende de nada, a não ser de você.

Pense nisso! Falarei mais no capítulo *Neurose a dois*.

### Depressão

Uma das raízes da depressão é a não aceitação da realidade. Por exemplo, a pessoa que não aceita que o outro se foi ou que morreu. Lá em seu fundo emocional ela acaba confundindo sua natureza com a do outro. No caso da morte, a sensação para quem ficou é de que ou morreu um pouco de si mesmo ou de que corre o risco de uma morte iminente.

Vamos refletir: o que o outro fazia para você achar que não pode ficar sem ele? O que ele lhe dava de tão vital? Às vezes, pergunto isso para uma pessoa e ela me responde:

– *Na realidade, nada. Nunca fez nada do que eu esperava ou queria.*

É claro que as pessoas também costumam responder:

– *Ah, fazia-me companhia; dava-me carinho, sexo, atenção.*

Contudo, quando questionadas sobre a quantidade e a qualidade do que recebiam, acabam admitindo:

– *É, realmente, não era tanto assim nem era muito bom.*

Vemos que a dependência dessas pessoas era algo ilusório que, na realidade, não vinha, ou, se vinha, era numa quantidade e qualidade ineficazes. Então, do que sentem tanta falta a ponto de acharem que não vivem sem o outro?

Na realidade, a falta que sentem é do que esperavam que o outro fizesse para elas; a espera criada em cima de uma crença emocional errônea, que poderíamos traduzir como sendo mais ou menos a seguinte: *Se eu fizer e agradar, eu terei e receberei o que quero.*

E se fizeram tanto, por que não receberam? Isso fica claro quando analisamos que a pessoa jamais poderia ter recebido, porque nunca se deu, e nunca recebeu, justamente porque precisa aprender a se dar. E, por mais incrível que possa parecer, a morte ou a perda do outro dá a noção exata do buraco emocional dentro da própria pessoa.

A depressão se instala por conta de um somatório de situações, em que a pessoa foi acumulando muitos sacrifícios, muitas mágoas e muitos ressentimentos não expressos, com isso, deixou-se de lado e se abandonou. A depressão sempre embute um pedido de socorro da alma, dizendo: *Olhe o que você está fazendo consigo!*

Em que momento, então, a pessoa vai sair da depressão? No momento em que assumir a responsabilidade pelo que tem feito consigo, e a partir disso, perceber que se não agir por si, ninguém o fará; e aí então começará a mudar, quando modificar a tônica de suas atitudes: em vez do outro, colocar-se como a prioridade, sendo responsável por si mesma; é isso o que a vida cobra, ou seja, que se olhe, se cuide e preencha suas necessidades e seus buracos emocionais.

Quando falo do eu emocional carente e da necessidade de autossuprimento, enfatizo a necessidade de entender que dentro de cada um de nós, há uma criança carente de cuidados, respeito, carinho, atenção e consideração. O autossuprimento começa no momento em que você percebe que tem certos potenciais e qualidades que sempre usou para cuidar de outras pessoas; o autossuprimento implica usar esses mesmos potenciais e qualidades para cuidar de si mesmo, incluir-se e não se excluir, como foi feito na maior parte do tempo de sua vida.

Há a necessidade de se nivelar, colocar-se no mesmo nível de prioridade que você coloca as outras pessoas à sua volta. Pense nisso, e começará a trabalhar a sua depressão, que, no caso da dependência emocional, só quer mostrar-lhe a necessidade de se voltar para dentro, assumir-se e fazer algo por si mesmo.

Dentro desse quadro, quero contar uma história. Maria, solteira, 46 anos, psicóloga, embora tendo feito terapia durante vários anos, não havia mudado suas atitudes no sentido de autorrespeito e cuidados. Sua mãe sempre foi uma pessoa com uma autoestima muito baixa, submissa, revoltada com a vida, que, apesar de ter tido um companheiro totalmente ausente, agressivo e que a ignorava, conformou-se com situação e nunca reagiu. Se um pai nunca deu uma atenção muito positiva à Maria, pelo contrário, geralmente a subestimava e à mãe, dando mais atenção às amantes, aos passeios, às viagens; enfim, era um sujeito muito egocêntrico e mimado, tudo tinha de ser da forma como ele queria. Maria cresceu se achando uma droga, uma coisa sem importância, em razão do comportamento do pai para com ela. Apesar disso, ela tem bons valores e uma moral impecável. Nos últimos anos, o pai desenvolveu um quadro degenerativo e faleceu. Nos últimos meses de sua vida, foi internado em uma clínica de repouso por conta de suas condições mentais. Maria cuidou dele com o máximo desvelo e se torturava com um sentimento de culpa enorme por causa de sua morte. Cobrava-se por tê-lo internado, embora soubesse exatamente as boas razões que a levaram a tal ação. Não aceitava a morte do pai, queria ele vivo, mesmo sofrendo, o que demonstra uma atitude muito egoísta da parte dela. Mesmo que continuasse sendo maltratada, preferia ele vivo, por conta da falta de autoidentificação consigo mesma e pela profunda dependência emocional. Com a morte dele, ela desencadeou uma depressão incrível. E foram todas as suas atitudes de negação, cobrança e culpa que a levaram a esse quadro. No fundo de si mesma, tinha uma raiva enorme do pai, por conta do que ele a fez sofrer e à mãe, pela falta de importância e indiferença. Só que o seu emocional tinha medo de admitir a raiva, pois se admitisse, não conseguiria conviver com a culpa e o medo do abandono, pois estava claro dentro dela o seguinte esquema emocional: agir diferente do que o pai esperava, significava desagradá-lo e se isso acontecesse havia o perigo de que ele a agredisse e abandonasse. Aprendeu a viver à sombra de alguém a quem dava o poder, achava que ele era um verdadeiro deus. Essa foi uma situação muito ruim; porém viver à sombra dele era tê-lo como uma espécie de apoio e ponto de referência, a quem ela se devotou a vida inteira, totalmente submissa e conformada, como a mãe fez ao longo do tempo. Com a sua morte, é como se ela tivesse perdido o ponto de apoio, que era ruim, mas era um ponto de apoio, o único que ela considerava e para o qual agia. O trabalho dela foi ter de olhar para o buraco emocional que desde sempre esteve lá e que ela nunca tentou suprir. Então, ela teve de reconhecer o seu próprio abandono, sua carência, suas frustrações a fim de criar atitudes de cuidado e amor para consigo mesma. Ela, desde sempre, foi uma pessoa cobradora e crítica para consigo mesma, e essas atitudes a afastaram ainda mais de seu autossuprimento. Depois da morte do pai, ela entrou em crise, renegou Deus, a espiritualidade e passou a achar que não valia a pena viver. Pensou em suicídio, e, enfim, depois de contatar sua raiva e seu ressentimento, pôde usar essa energia para se erguer e aceitar a criança carente dentro dela, passando a se cuidar, gerando, com isso, uma mudança de atitudes, que repercutiram numa mudança vibracional.

No momento em que escrevo este livro, ela ainda está em terapia, porém tenho a certeza de que se mantiver uma atitude de autoaceitação, encarar suas necessidades e suprir--se, com certeza, desmantelará totalmente o pano de fundo emocional, ou a crença introjetada, ou seja, de que não era boa o suficiente, alguém sem nenhuma importância.

Realço a importância dessa mudança de atitudes, a partir da compreensão de um modelo de crenças introjetadas e que não tem a menor validade. Geralmente, é criada uma conclusão instintiva, dentro de uma criança vulnerável, sem experiência e dependente, na época da primeira infância. Porém, adulta, a pessoa precisa compreender que essa conclusão, embora vivenciada naquela época, não tem uma validade real. Ninguém pode se considerar uma droga por não atender às expectativas do outro. Na realidade, o que isso significa? Significa que não se tem valor? Que se é errado? Que se é uma porcaria? Um nada sem importância? Não! Significa apenas que não se conseguiu atender às expectativas, porque não se é o outro. Cada um é o que é, tem natureza própria, não pode ser o outro; assim, compreender tudo isso ajuda a refazer o conceito de si mesmo, valorizando o que se é, o que se sente, dando a liberdade de ser, pensar e expressar o que se é. Lembrando que o outro tem o mesmo direito, ou seja, de ser o que é. Quando e somente quando você se respeitar e amar, é que terá plenas condições de amar e respeitar quem vive com você e ao seu redor. Como dizia o mestre: *Amai o próximo* como *a ti mesmo*. Ele não disse mais ou menos, ele disse *como*.

> **Reflita**: na importância de se nivelar, de se incluir, nunca se rebaixar, ou excluir, que, na realidade, implica depressão (colocar-se sob pressão, para baixo). A depressão é a causa, não o problema em si. Ela é gerada pelas atitudes de rebaixamento e pela falta de importância que a pessoa se dá. Mudar essas atitudes tirará você da depressão.

## Baixa autoestima

Autoestima baixa é quando a pessoa tem um péssimo conceito sobre si mesma, não se dando e não reconhecendo valor nenhum em seu jeito de ser. A pessoa age de tal forma que atrai situações negativas que reforçam a ideia: *Eu não sou boa mesmo.*

A autoestima baixa, como decorrência da ilusão de dependência, resulta numa ausência de importância e valorização por ser o que é, e o indivíduo acaba condicionando o seu valor a partir do que recebe do outro, tais como conteúdos que soam como aprovações, elogios, ou a sensação de que agradou. Essa pessoa é capaz de, literalmente, *se matar* pelo outro, e então se é elogiada, se agradou, sente-se maravilhosa; porém, se não recebeu elogios ou não agradou, sente que não vale nada, que é uma droga, sem levar em conta o esforço de suas próprias ações.

> **Reflita:** será que você não está colocando todo o seu valor nas mãos de alguém ou de uma situação, que, se resultar bem e em aprovações, você se acha o máximo, senão, você se menospreza? O pior é que essa conclusão não tem a menor validade, uma vez que é realmente impossível agradar alguém quando este não quer ser agradado, bem como é impossível preencher as necessidades dele, se ele mesmo não suprir, ou seja, por meio de suas ações, não vibrar algo como cuidado e respeito.

Seria interessante perceber que você não controla nada que esteja fora de você, logo, como poderá agradar alguém totalmente? Como poderá corresponder às expectativas do outro, sem, às vezes, o outro nem sequer mostrar o que quer? E isso é terrível, pois, além de tentar agradar, a pessoa se cobra não somente adivinhar o que o outro quer, como agradá-la cem por cento; não basta que agrade um pouquinho, tem de agradar *totalmente*. Considere que em primeiro lugar você não pode adivinhar o que o outro sente – essa cobrança é absurda demais. Em segundo lugar, você até pode perguntar-lhe o que quer, só que o tanto que você conseguirá fazer é tudo do seu jeito e nem sempre agradará totalmente o outro. E sabe por quê? Porque somente ele mesmo poderá se agradar, uma vez que cada um é que sabe das próprias necessidades e das medidas em que essas necessidades serão atendidas. Por exemplo, a coceira. Digamos que você está com uma coceira nas costas. Aí fala para alguém: *Estou com coceira, coce, por favor*. Até o outro localizar o lugar, e se por acaso acertar, ele vai coçar tentando adivinhar a pressão certa e o tempo que você precisa para se sentir bem. Mesmo que isso aconteça, ele vai fazer do jeito que ele acha que deve, e a sua necessidade pode ser bem diferente disso. Não seria mais eficaz se você mesmo fizesse o que precisa para se sentir bem? Nunca alguém saberá sua medida, somente você. Logo, assuma sua necessidade, seja ela qual for, e mãos à obra!

Normalmente, o conceito de autoestima baixa tem como raiz emocional, certas conclusões fatais, segundo as quais a pessoa se vê com defeito, como um erro da natureza.

Por exemplo, num processo de terapia com Nara, ela me contou o quanto se sentia triste e insegura. O marido a havia traído com uma professora, chegou a sair de casa para morar com ela, porém, meses depois, retornou dizendo que havia concluído que a amava e havia se enganado com a outra, que tudo não passara de uma paixão sem importância. Ora, se ele voltou arrependido e convicto de sua escolha, por que ela se sentia tão mal e insegura? Porque ela soube pelo marido, que o que o havia atraído na outra foram seus peitos, seu bumbum, sua alegria espontânea e seu jeito de filosofar, que o ajudava a pensar. Tudo isso acabou com Nara, porque ela começou a querer ser igual à outra. Ela entrou numa academia para fazer musculação e ganhar peitos e quadril maiores; só que não estava conseguindo ter alegria espontânea nem era do tipo que ficava filosofando, era do tipo prático. Comecei a fazê-la perceber o quanto estava se cobrando ser o que não era, e, obviamente, depreciando-se por ser o que era, por ter o corpo que tinha, sem valorizar o fato de que o marido voltara para ela. A cobrança em si era tão desrespeitosa que estava lhe tirando a espontaneidade, com atitudes de extremo desrespeito, que era o negar-se e querer ser igual à outra. Se estivesse fazendo isso por uma decisão sua, tudo bem, mas o fazer para agradar o marido estava, na realidade, gerando sua insegurança. Sua linha de pensamento era: *Se ele me trocou por ela, significa que eu sou uma droga.* E justamente por ter mantido essa conclusão *errônea* dentro de si, estava rebaixando sua autoestima, por meio das atitudes de depreciação e desrespeito. Nem por um momento ela percebeu que o marido agira de tal forma por sua própria necessidade, pelos seus próprios conteúdos emocionais.

Com a terapia, Nara percebeu sua linha de crenças. Quando pequena, foi muito influenciada por uma educação austera por parte do pai, que lhe cobrava uma perfeição absoluta, ou seja, perfeição de acordo com o modelo dele. Nara entendeu que precisava *sempre* agradar, deixar o pai feliz, porque tinha muito medo de suas agressões e do seu mau humor; tinha medo de ficar sozinha, do abandono em si; assim, assumiu inconscientemente a responsabilidade de ter de agradá-lo para se preservar e receber atenção e aceitação. Os modelos emocionais são transferidos automaticamente para as pessoas a quem se confere autoridade ou que se ama. Transferir o modelo da relação com o pai para o marido foi o que ela fez. O relacionamento inicial foi muito bom. Contudo, logo que se casou, tudo começou a mudar e a relação passou a ser neurótica: ele sempre exigindo e ela se sacrificando totalmente para agradá-lo. Expliquei-lhe que, na realidade, ela atraiu para si a situação de traição, justamente para que percebesse a traição para consigo mesma por meio de suas atitudes, deixando-se de lado, para priorizá-lo, sacrificando--se para agradá-lo. Quando ele saiu de casa para morar com a outra, a própria raiva a fez recuperar um pouco de sua dignidade. O que aconteceu? Ele voltou, percebendo que a amava de fato. Como seria dali em diante? Se ela quisesse que o relacionamento fosse de fato verdadeiro, ela precisaria ser verdadeira, e a única maneira era entender seus decretos emocionais e mudar o jogo, ou seja, para isso ela deveria se colocar como prioridade e agir com o coração e não pelos papéis convencionais ou por obrigação, de acordo com suas crenças emocionais.

Isso significaria trabalhar em prol de si mesma e preencher os buracos emocionais que estavam lá dentro dela desde a mais tenra infância. Esse é um processo de amadurecimento e integração, e, consequentemente, aumento da autoestima, ou seja, o próprio processo de valorização. Aliás, não custa lembrar: valorização significa as atitudes que se tomam e por meio das quais estamos do nosso lado, a favor e não contra.

Nara também conseguiu entender que a atração do marido pela *outra* foi uma mera projeção. Ele via na outra o que na realidade ele era, por natureza, só que nunca se permitiu ser. Por outro lado, o modelo educacional dele foi um mimo só, a mãe e as irmãs fazendo sempre o que ele queria; afinal, era o único filho homem. Cresceu achando que tinha de ter as coisas do jeito que queria, porque se assim não fosse, lá no fundo se sentiria *como uma coisa mal amada*, e isso é perigoso para o emocional. Ser mal amado significa não ser bom o suficiente. Ele amava Nara, só que pelo próprio desrespeito dela, por meio de suas atitudes, acabava atraindo o desrespeito dele que vinha na forma de cobranças de que ela tinha de ser o que ele queria, só para que ele também se sentisse bem. É fato que ele também tinha uma autoestima muito baixa. Houve um reforço na carência, por parte das atitudes de ambos. Cada vez que ele a criticava e cobrava, e Nara assumia a culpa e o dever de corresponder às expectativas dele, ela o supria e se colocava contra si mesma; com isso, ele se sentia forte e reforçado em suas atitudes. Essas atitudes fazem parte das neuroses a dois, que veremos mais adiante.

Finalmente, trabalhando suas próprias crenças no sentido de desfazer o esquema de autodesrespeito, Nara acabou se autoafirmando, colocando-se de maneira mais assertiva e espontânea, agindo pelo coração, sem se deixar cobrar, e não assumindo culpas, e, é claro, que o relacionamento mudou e eles estão se entendendo bem. O marido decidiu fazer terapia, pois ela parou de *mimá-lo* quando retomou sua espontaneidade. Os vazios emocionais dele ficaram mais evidentes, e o diálogo franco indicou-lhe o caminho que era o de também autossuprir-se, sem esperar nada dela.

Outro caso de autoestima baixa: Verena procurou a terapia após a morte do amante, quando entrou num processo de depressão e síndrome do pânico bastante acentuado. Filha mais velha, num lar bastante crítico e cobrador, cresceu se sentindo muito podada em sua maneira de ser, principalmente por parte do pai, bastante ausente e crítico. Entretanto, lá no fundo se sentia feliz e espontânea, porém não na frente da família, onde se *segurava* para parecer uma criança certinha e perfeita. Engravidou aos catorze anos e teve uma filha praticamente sozinha, uma vez que durante a gravidez ninguém percebeu o fato. Acabou indo viver com um sujeito, que adotou sua filha. Depois de alguns anos, apareceu um homem bem mais velho por quem ela se apaixonou. Tiveram um caso ao longo de cerca de seis anos. Durante esse tempo, o sujeito a sacaneou de várias formas, tratando-a mal, deixando de fazer coisas que prometia; enfim, não a considerava quase nada, e, eventualmente, ficavam juntos, mais por insistência dela do que por vontade dele. Verena, por conta de uma autoestima muito baixa e uma carência afetiva muito severa por parte do pai, emocionalmente projetou no sujeito um desafio praticamente impossível: ele tinha de ficar com ela, viver somente para ela, custasse o que custasse. Contudo, ele morreu assassinado, e, a partir daí, Verena entrou em crise. A parte terrível foi perceber que ela precisava viver e que não dependia dele para isso. Só que então veio a raiva, uma revolta absurda dela mesma por ter *perdido* tanto tempo de sua vida correndo atrás de um sujeito que não a amava verdadeiramente nem a respeitava. Tudo isso ela teve de entender e assumir, percebendo que atraiu o que fazia consigo mesma. Projetou no amante o pai ideal que nunca teve; entrou num processo de desafio impossível, tendo a sensação de que se conseguisse o seu intento, ela se sentiria o máximo como mulher. Interessante é que não reconhecia nem respeitava o marido, que sempre demonstrou amá-la. Dentro desse quadro de baixa autoestima, a pessoa não valoriza o que vem fácil, porque internamente sente que o outro que a ama, não pode ser melhor do que ela, justamente porque a ama; por essa razão não valoriza e até menospreza o que vem do outro. O processo é pesado, e o que vemos aqui é que ela precisou *olhar-se na marra*, a partir do episódio da morte do amante, para amadurecer e aprender a depender de si mesma, reconhecendo o enorme valor e a força que sempre teve e que nunca antes considerou, pois não se via por inteiro, precisava do outro para se sentir, para se olhar e se perceber. A depressão veio significando um pedido de socorro de sua alma, para que se olhasse e suprisse, assumindo sua real personalidade, mais solta e forte. Esses aspectos estavam sendo usados em prol do outro, do desafio em si, e não dela mesma, uma vez que durante todo o tempo ela nunca parou para perceber se o que estava fazendo soava internamente como um bem ou um mal. Com a terapia, concluiu que sempre se sentiu mal com suas ações, só que não parava para se dar o devido respeito. A síndrome do pânico foi um resultado emocional: a dependência dela para com o amante era tanta, que pensar nele morto causava uma síndrome de ansiedade generalizada dentro dela, como se uma parte dela ou ela inteira também fossem morrer com ele. Todo o processo de autopercepção e cura precisou de muito empenho por parte de Verena para reconhecer sua força essencial, mesmo a partir de fatos tristes e desgastantes. Mas a vida é sábia, e se não fosse dessa forma, ela ainda estaria correndo atrás do sujeito e deixando de se assumir e viver para si mesma, para as pessoas que amava e que também a amavam. Ela aprendeu que não deveria viver para os outros, mas sim por seus próprios sentimentos verdadeiros. Ao longo da terapia, percebeu o quanto se havia sabotado, quando praticamente esquecera a filha, o marido, sua própria casa, seus animais e seus artesanatos, que sempre adorou fazer etc.

Verena ainda está em terapia, porém, muito melhor, caminhando para a cura e integração.

## Carência emocional

Todos nós precisamos de respeito, amor, carinho, consideração, atenção e aceitação. Se você mesmo não se supre nessas necessidades, vai esperar que alguém as supra? Esse é o esquema emocional que trazemos: um dia acreditamos que, para termos tudo isso, precisávamos ser perfeitos, fazer gracinhas para as pessoas, tentar agradá-las, e, com isso, não aprendemos a agir em prol de nós, gerando uma espécie de abandono interno. Assim, ao longo do tempo, os nossos vazios emocionais, que são essas necessidades, continuaram aumentando. Há pessoas que sentem uma grande angústia, uma espécie de buraco no peito, um vazio enorme dentro delas. É o vazio que nunca foi preenchido e que vai continuar lá, quanto mais a pessoa direcionar sua energia para fora de si mesma, para coisas e pessoas, achando que receberá toda atenção e carinho de que necessita como retorno. Não vai receber, até mesmo porque, ao atuar em razão do que ou de quem está fora, coloca-se numa vibração de desrespeito, autocobrança e descaso, e é exatamente isso que vai receber das pessoas, como vimos no caso de Nara e Verena. Semelhante atrai semelhante, em termos de ações, ou o mundo o trata como você se trata, essa é a lei das ressonâncias energéticas.

Carente emocional é a pessoa que tende a falar muito, o tempo todo e a reclamar, de maneira meio chorosa, até certo ponto crítica. Tudo o que fala dá a entender que o outro deveria fazer isto ou aquilo para que ela pudesse se sentir bem. São pessoas, na maioria das vezes, pegajosas, que precisam ficar tocando, abraçando, pondo a mão em quem está ao seu redor, para se sentirem, uma vez que não têm pontos de referência internos e não conseguem se perceber por si mesmas. Enfim, o carente espera que o mundo mude, que todo mundo seja *bonzinho* e o ame, para que ele se sinta bem. O carente emocional apresenta uma dependência do mundo que o rodeia, e acaba manipulando a si próprio e a todos ao seu redor, para ser suprido em suas necessidades emocionais.

Cristina iniciou a terapia com a queixa de que nunca se sentira verdadeiramente amada por ninguém. Tinha quarenta anos e até então nunca havia namorado por muito tempo. Parecia que ninguém se interessava por ela. Namorara um sujeito por cerca de um ano, chegaram a falar em casamento, porém, de repente, ele disse que havia se apaixonado por outra e terminou o relacionamento. Isso já fazia cinco anos. E ainda continuava sozinha, sentindo-se deprimida, sem nenhuma motivação para sair ou fazer amizades.

Cristina era a filha do meio e sempre se sentiu à parte na família. Achava que o pai gostava mais da filha mais velha, a mãe da mais nova e ela *sobrava*. Entendeu, pela sua educação, que tinha de atender às exigências da mãe (uma pessoa extremamente controladora e dominadora), pois, caso contrário, ouvia a mãe lhe dizer: *Que menina burra, você não vale nada. Menina, você é um erro.*

De frustração em frustração, a situação piorou com a *rejeição* do último namorado. Em seu relacionamento profissional era uma pessoa chatinha, sempre criticava, reclamava, chorava, porque as pessoas eram ruins, não a compreendiam e só lhe davam ordens, exigindo muito dela. Percebam como o modelo de relacionamento que ela teve com a mãe se repetiu. Ela mesma projetava nas pessoas à sua volta, principalmente chefes e superiores hierárquicos, a mesma situação. Ela não sabia se colocar, não sabia expressar o que sentia, não sabia colocar limites e se cobrava para atender às exigências dos outros, esperando apreço e consideração, que não vinham, uma vez que ela se desrespeitava ao máximo e se depreciava por conta da crença introjetada de que *era realmente um erro*. Estava num ciclo vicioso, pois, esforçava-se para agradar o outro esperando consideração, que não recebia, pois ela mesma não se considerava e se desrespeitava, ao tentar agradar. Quando se sentia desconsiderada pelo outro, voltava-se contra si mesma depreciando-se, sentindo-se uma coisa sem valor. Quando se entra num sentimento assim, inicia-se uma espécie de autodestruição, onde a pessoa não se permite sair nem fazer amizades, como se fosse uma punição por não ter sua expectativa correspondida.

Cristina teve de entrar em contato com a criancinha frustrada e raivosa da infância, com muitas necessidades emocionais não atendidas; precisou perceber que, por meio de seu tom choroso, de reclamação e crítica, estava implorando atenção e carinho das pessoas, coisas que ela nunca se deu, porque nunca se olhou verdadeiramente para perceber no que era boa, para perceber suas vontades e seus valores. Ela precisou treinar a autopercepção, uma vez que, ao longo do tempo, fora ensinada para perceber as solicitações e exigências externas, e não a se perceber e levar em consideração suas vontades.

O reflexo disso ficou muito claro nos seus curtos namoros. Ela acabava sendo chata, pegajosa, e ninguém aguentava ficar perto dela. À medida que foi criando coragem de ir a favor de si mesma e de suas verdadeiras vontades, foi deixando de ser amarga, crítica e chorosa. Ela foi morar sozinha, e, embora sem um namorado firme, não se sente mais aquela coisa ruinzinha. Está melhorando sua autoestima a cada dia; começou a trabalhar num centro espírita; está estudando para entender melhor seu processo mediúnico e voltou a cursar a universidade; enfim, está saindo da depressão.

Outro exemplo de carência afetiva é Kátia, que procurou a terapia com quarenta e seis anos. Kátia é a filha caçula, tem uma irmã e um irmão mais velhos. Ela recebeu uma educação tradicionalmente repressora. A mãe era supercertinha e passiva; o pai, austero e bastante ausente, com amantes fora de casa. Kátia sabia que era homossexual, mas morria de medo de assumir isso para a família. Sempre achou que tinha de ser boazinha, certinha, perfeita e agradar a todos. Forçou-se a namorar alguns rapazes e quase se casou com um deles; tudo para não decepcionar a família. O pai faleceu quando Kátia tinha vinte e seis anos. A mãe morreu três meses depois que ela iniciou a terapia. Embora achando que a mãe desconfiava de sua homossexualidade, nunca teve coragem de tocar no assunto. Kátia cresceu numa carência e temor internos muito grandes, por conta de seus decretos emocionais e de sua opção sexual. Sempre foi chatinha, ficava grudada nas pessoas, tocando, abraçando, querendo ser acariciada. Seu estilo era fazer amizade e encher a pessoa de mimos, presentinhos, telefonemas e atenções excessivas. Sua queixa: nunca conseguiu manter relacionamentos. E não é para menos, com uma carência dessas! Pelas suas atitudes, vemos o quanto ela se desvela para agradar o outro e encher o outro do que ela supõe que ele necessita; isso é pura projeção de suas próprias carências. Só que ela não age para si mesma, pelo contrário, nunca parou para perceber se estava com vontade ou não de fazer tudo o que fez. Está no quarto relacionamento e a queixa é que nunca dá certo. Decepciona-se o tempo todo com a parceira, uma vez que cria tantos sacrifícios para si mesma, que a expectativa gera muita ansiedade, a ponto de ficar o tempo todo fazendo comentários do tipo: *Estou triste... estou chateada... esperava que você me dissesse que me ama... queria que me fizesse companhia... você gosta de mim?... hoje você ainda não disse que me ama... o que você está pensando?... está chateada comigo?...*, ou seja, o tempo todo ela cobra e choraminga. Os relacionamentos não duram muito, pois, apesar de ela tentar ser boazinha, cuidadosa, romântica e gentil, não dá espaço para a parceira respirar. Tudo tem de ser feito com ela, num grude só. O tom de voz dela é puro choramingo, a postura é de uma pedinte. Ela veio para a terapia depois de ter lido o livro *Em busca da cura emocional*, querendo entender o porquê dos insucessos nos relacionamentos. O trabalho com a Kátia foi fazê-la perceber primeiramente seu tom de voz, sua postura, sua carência; depois entender as raízes emocionais dessa autoestima baixa e de sua insegurança; perceber o quanto, por conta de sua carência afetiva, ela deixava de receber das parceiras o que mais precisava: amor, coisa que ela mesma precisava se dar, por meio de atitudes mais autênticas. Em contato com suas emoções, percebeu como se sabotava e desrespeitava, indo contra sua vontade na tentativa de querer agradar sempre e ser boazinha. Com isso, sufocava as pessoas à sua volta. E, principalmente, o trabalho foi o de se assumir como era, sem comparações e sem se sentir um erro da natureza, por conta de sua individualidade. Ela precisou se aceitar incondicionalmente, a fim de desfazer o esquema emocional de autoestima baixa.

O tema sobre autoestima baixa foi extensamente explicado no livro *Em busca da cura emocional*, onde são descritas as raízes emocionais de vários quadros, entre eles este que estamos abordando. É importante entender o quanto precisamos aprender a nos voltar para nós mesmos, criando atitudes onde nos respeitemos e supramos, para não esperarmos e dependermos dos outros, porque se o que esperamos não vir, continuaremos frustrados, raivosos e vazios por não estarmos fazendo a nossa parte para conosco, e por estarmos indo contra a nossa vontade e natureza, agindo de forma totalmente irresponsável para com nós mesmos.

Normalmente a raiva que o carente emocional sente, faz parte de uma conclusão inconsciente: *As pessoas não estão agindo de forma legal para comigo, e elas não deveriam agir assim. Mas, se agem assim, é porque, no fundo, eu devo estar errado e ser uma coisa ruim.* Essa conclusão de *então eu sou um erro, um verme, uma coisa ruim,* levanta a raiva interna, que é uma forma de a natureza dar um toque de como ele está sendo duro consigo mesmo e de como essa conclusão é errônea. Por outro lado, é terrível uma pessoa conviver o tempo todo com uma sensação subliminar de que é um verme, uma droga, uma coisa ruim!

Analise os seguintes fatos:

- Você não atender às expectativas de alguém, não faz de você um erro, significa apenas que você não atendeu às expectativas, e só; mesmo porque, atender totalmente às expectativas de alguém significaria que você teria de ser uma extensão desse alguém e não você mesmo. Ser você mesmo já lhe dá o direito de não ter de atender a nenhuma expectativa de ninguém, nem às do seu próprio ego.
- Alguém ser chato ou agressivo com você não significa que você seja uma coisa ruim ou um erro da natureza; pode simplesmente significar que o outro está de mau humor. É importante lembrar que cada um faz o que pode, o que quer e o que sabe. E, na maioria das vezes, a ação das pessoas está relacionada aos seus próprios conteúdos emocionais, o que não é coisa de sua responsabilidade.

Enfim, é muito importante que você entenda e desfaça o esquema emocional que gerou essas conclusões fatais de autodepreciação, porque essa linha de pensamentos é desrespeitosa, é ruim e desconfortável, e vai gerar tristeza e angústia dentro do seu peito; sensações essas que estão aí justamente para informá-lo de que você está numa linha de pensamento ou postura inadequadas, sem nenhuma validade real.

*Reflexões:*

- O antídoto para o carente afetivo é se dar amor, muito amor, respeito, compreensão e perdão.
- As pessoas lhe darão somente o que sabem, querem e podem, e somente você sabe do que precisa e do quanto!
- Enfim, se você sabe a sua medida, que tal botar a mão na massa e agir em prol de si mesmo? Uma coisa é certa, o ruim e o desconforto já estão aí; o máximo que pode descobrir com novas atitudes é conforto, o que resultará em respeito e apreciações sinceras que, sem dúvida, você receberá do mundo.
- Dependa de si mesmo, faça por si mesmo, reconheça o seu próprio poder e potenciais de ação, e comece a elevar sua autoestima.

## Insegurança

O dependente emocional tende a colocar seu ponto de segurança fora de si mesmo. O problema é que quando alguém coloca o seu apoio fora de si, acaba criando a própria insegurança. Também cria insegurança quando não age por si e fica em função do outro, ou quando dá poder ao outro, achando-o melhor ou superior a si mesmo. Como sempre digo, não existe pessoa insegura, o que existe é a pessoa que cria a própria insegurança, já que a segurança está naquilo que é e no que sente, e é nisso que o indivíduo precisa se apoiar.

- Não é o emprego que lhe dá segurança, é o seu potencial de aprender, a própria experiência que tem e que usará para buscar um novo emprego.
- Não é o casamento ou a família que lhe dão segurança, pois você não controla as pessoas envolvidas; elas poderão ir embora, morrer, e você continuará vivo.
- Logo, a verdadeira segurança está dentro de cada um, no seu sentir, nas suas capacidades e ações. Você cria a própria insegurança ao acreditar que o outro ou algo fora de você é sua segurança ou apoio. Essa simples atitude já desencadeia sua insegurança.

**Reflita:** caso se sinta dependente de alguém e com muito medo de que a pessoa o abandone ou morra, comece a fazer por si mesmo o que você acha que o outro lhe faz. Pergunte-se: *Em que aspecto dependo dele? O que fico esperando que ele me faça?* Comece a trabalhar em si mesmo esses quesitos, comece a se *segurar* em si mesmo. Habitue-se a perceber que as capacidades e os potenciais que você usa para ajudar ou fazer pelo outro são capacidades e potenciais que você precisa reorientar em seu próprio benefício. Isso não significa não fazer mais nada pelo outro, mas sim nivelar-se: você é tão importante quanto o outro.

## Não se exclua, inclua-se

O raciocínio do indivíduo inseguro é justamente a exclusão: *É ele ou eu*. O ideal é que o raciocínio seja: *Eu e ele*.

Perceba que você tem um sentimento pelo outro, mas não tem a pessoa. Logo, sua segurança está no que você sente e na sua capacidade de expressar o que sente. Quando você se apega, cria dependência e gera insegurança. Quando não há apego, há liberdade, espontaneidade e segurança. O ideal para se sentir seguro, é assumir a responsabilidade pela própria felicidade, sentindo que você depende si mesmo, e perceber o que pode e quer fazer sem regras, do jeito que deseja e que sente que ficará mais feliz.

Como exemplo, temos uma cliente dependente emocional e bastante insegura, que também se queixava de problemas no estômago. Colocando-a em contato com o seu estômago, percebemos que, por conta de sua insegurança, sempre acabava desconsiderando suas ações, principalmente quando alguém não a aprovava ou tinha opinião diferente. Ela ficava o tempo todo pedindo a opinião das pessoas e não valorizava suas próprias ideias. Estava mobiliando um apartamento, e, é claro, fez uma reforma, colocando piso, azulejos, pintura nas cores e materiais do seu gosto. Contudo, sua preocupação era se a família ou as amigas iriam gostar e aprovar. Isso gerava uma ansiedade incrível, denotando o seu âmago emocional que era o de *ter de* agradar, e caso isso não acontecesse, correria o risco de se sentir um erro e de ser abandonada. Esse era o pano de fundo de suas crenças emocionais. Percebeu que o simples fato de desconsiderar seu gosto pessoal, para considerar o gosto e a opinião das outras pessoas à sua volta, era como engolir comida estragada, o que, é claro, ela não faria em sã consciência. Contudo, emocionalmente, era o que estava fazendo, ao se *importar* (trazer conteúdos de fora para dentro) com a opinião das pessoas. Quando percebeu e parou com isso, valorizando suas próprias ações e opiniões, o mal-estar no estômago melhorou *milagrosamente*.

Com isso, vemos como muitos sintomas psicossomáticos podem ser gerados por conta de atitudes de insegurança, onde nos colocamos de lado, valorizando conteúdos de fora, e criando instabilidade e doença.

A melhor forma de trabalhar a autossegurança é a autoaceitação. Trabalhe consigo mesmo a seguinte ideia: *Eu sou o que sou*, principalmente naqueles momentos em que se pegar se criticando, depreciando, cobrando coisas absurdas, como não errar, ter de adivinhar o futuro, ter de agradar o outro etc.

*Eu sou o que sou* significa a consciência da presença divina em mim. *Eu sou* significa *Deus em mim*. Autoaceitação é a consciência de que você é. *Ser* é mais importante que *ter*; o ser em si é que precisa ser valorizado; a ideia do ser é algo que inclui o corpo físico e sua incrível sabedoria, os outros corpos energéticos que temos, e o próprio espírito, o fato de sermos co-criadores, o fato de termos recursos impressionantes em nossos sentidos e em nossa natureza, o fato de nos deixarmos guiar pelo coração. Reflita sobre isso para sair da ilusão de que você depende de alguém para viver ou se sentir valorizado; e procure segurar-se no que sente, ou seja, em si mesmo.

### Regras básicas para promover a independência emocional

- Assuma a responsabilidade por si mesmo e pelo que sente.

- Faça por si mesmo o que você acha que depende do outro para te dar ou fazer.

- Entre em contato com sua dor e use seus potenciais para promover o seu alívio. Por exemplo, você está caminhando e uma pedrinha entra em seu sapato. Você fica aguentando o incômodo simplesmente porque acha que tem de aguentar? Fica esperando algum conhecido passar e lhe pede para tirar a pedrinha? Normalmente, não, você para, tira a pedrinha do sapato, porque dói, não é? E o faz sozinho. Observe: se isso funciona para um probleminha como esse, funciona com outros grandes problemas e dores. Aliás, tudo o que vale para o físico, vale para o emocional. A lei é a mesma.

- Confie nos seus sentidos; eles informam o que está acontecendo com você e mostram quais as suas necessidades. Como foi dito anteriormente, seus sentidos apontam desconfortos, tanto físicos, como emocionais. No campo emocional, os sintomas normalmente são: angústia, sensação de sufoco, nós e bolos no estômago, na garganta, os quais são bastante desagradáveis, certo? Lembre-se de que todo sintoma traz uma mensagem, pede para que você olhe, sinta e mude a conduta, a fim de gerar satisfação e conforto, ou seja, os sintomas pedem que mudemos nossa postura, nossos pensamentos, nossas crenças e ações.

- Sua responsabilidade básica é perceber suas necessidades, desenvolver uma ação que as satisfaça e, de preferência, que seja de forma agradável, gerando resultados confortáveis, a fim de deixá-lo feliz e satisfeito – isso é o que eu chamo de *modelo psicoemocional ideal*.

- Confie em sua natureza – natureza atualizadora –; ela tem uma capacidade fantástica de se adaptar ao novo, aliás, ela o conduz o tempo todo para o novo, que é bom e se faz necessário para que você evolua. Se abandonar um pouco sua frescura e deixar de colocar condições de como as coisas deveriam ser para então se sentir valorizado, entrará em contato com essa força natural em si mesmo. Essa força é espiritual e sempre existiu dentro da natureza de qualquer um, mas muitos aprendem a desconsiderá-la por conta da formação que recebem, dos valores egoicos e excessivamente racionais. Ela fala por meio dos sentidos e da intuição. Portanto, *não pense... sinta!*

# Neurose a dois: ou o que chamamos de relacionamento familiar e conjugal

Um dos maiores tesouros e qualidades da natureza verdadeira é a liberdade de ser você mesmo. O ser humano nasce livre, é algo único, enquanto indivíduo, e tem o direito de continuar livre. Contudo, o que vemos na formação que recebemos, pelos conceitos tradicionais, sociais e religiosos é uma grande deformação da nossa natureza verdadeira. Como foi extensamente explicado no livro *Em busca da cura emocional*, a maioria dos problemas tem origem nas crenças que introjetamos sobre nós mesmos, de acordo com os valores que nos foram inculcados, seja de forma explícita ou velada, pelo que ouvimos, vimos e sentimos no meio primário onde crescemos e nos desenvolvemos.

E tudo isso nos fez acreditar que somos algo que não somos em essência.

É claro que, com todas essas crenças, e muito em razão da ilusão de dependência emocional que criamos, a maioria de nós chega à adolescência e à idade adulta procurando um parceiro que nos preencha, que nos supra, que nos complemente. E o que sempre está implícita é a ideia de que para receber, devemos dar. As pessoas acham que têm de se dar, e isso significa agradar o outro, fazer o que o outro espera, chegando mesmo a tentar adivinhar os pensamentos e desejos do outro. Ora, o problema é que *dar-se*, nesse contexto, significa sacrificar-se, deixar de estar em contato com a individualidade, para tentar ser a pessoa que se *acha* que o outro espera. Inicia-se, assim, o processo de sacrifício, expectativa e cobrança, que vem a *posteriori* em todo o relacionamento que começa com essa base.

Cada pessoa tem em sua cabeça um tipo ideal, que não existe verdadeiramente lá fora. Esse ideal, na realidade, nada mais é do que uma projeção da própria pessoa, ou seja, aquele *eu* que está relacionado com as necessidades emocionais dela mesma. Em nossa ilusão, colocamos esse tipo ideal como se fosse acessível ou passível de ser encontrado para nos completar. Só que tudo isso é ilusão, e esse tipo ideal não existe. Ninguém lá fora vai ser uma extensão de você, porque não existe outro você, não é mesmo?

Dentro dessa necessidade de achar alguém que nos complete, achamos que temos de encontrar a nossa alma gêmea, pois assim nos sentiremos completos e compreendidos. É comum a pessoa acreditar que um dia vai realmente encontrar a alma gêmea, e provavelmente vai se sentir muito mal se não encontrá-la. Que procura absurda! Sei que o que vou colocar aqui vai confrontar com muitas considerações que se vê por aí sobre o assunto, mas não acredito nessa história de alma gêmea. Acredito em almas irmãs, com afinidades, enfim. Acredito que, de vida para vida, encontramos com muitas pessoas com as quais desenvolvemos grandes sentimentos, afinidades e histórias felizes. É claro que podemos nos reencontrar novamente com essas pessoas em outra vida, criando com cada uma um encontro interessante e nutritivo. Podemos também, por exemplo, ter uma mãe como nossa alma irmã, ou um amigo, ou ainda um professor, um mestre que nos impulsiona. Agora, acreditar que existe apenas uma alma gêmea para nos relacionarmos, afetiva e sexualmente, e que temos de ficar procurando com lupa, isso não tem validade. Mesmo porque, acredito que atraímos pessoas que servem como instrumentos para nossa evolução, ou com as quais precisamos trabalhar coisas inacabadas, carmas, e tudo isso são ótimas oportunidades de crescimento e evolução. A ideia de alma gêmea é muito infantil e pobre.

Acredito no amadurecimento individual e no encontro autêntico com alguém que está no mesmo nível, com afinidades, interesses e metas semelhantes, e isso cria realmente um verdadeiro encontro nutritivo, saudável e, obviamente, feliz, que gera realizações e complementaridade, sem domínio ou abuso. Afinal, uma boa definição de relacionamento é cooperação, não é mesmo?

Podemos considerar que quando esse encontro ocorre, estamos em contato com nossa *chama gêmea*, conceito muito interessante que será abordado no capítulo *O relacionamento ideal – Conceito da chama gêmea.*

O desafio em ter um bom encontro e um bom relacionamento é saber lidar com os aspectos que atrapalham qualquer tipo de relacionamento, que é o que veremos a seguir.

## Aspectos que atrapalham qualquer relacionamento

Para que uma pessoa se relacione bem com alguém, de fato, é preciso relacionar-se bem consigo mesma.

É claro que geralmente não é isso o que acontece. Por conta da falta de autoconhecimento e de nossa ilusão de dependência, bem como pelas crenças que carregamos, como os exemplos a seguir, não conseguimos estabelecer uma relação autêntica, espontânea e sem neuroses.

Exemplos de crenças emocionais e consequentes comportamentos:

- Tenho de ser legal, bonzinho, para que o outro me aceite.
- Tenho de corresponder às expectativas; tenho de ser perfeito, assim o outro me reconhecerá como bom, exemplar e me dará valor.
- Todo mundo tem de ser como eu e fazer o que eu faço.
- Eu tenho de fazê-lo feliz, logo, ele também tem de me fazer feliz.
- Não tem problema se eu me desagradar, o importante é servir. Afinal, não custa nada!
- Mãe é para essas coisas; tem de harmonizar toda a família.

- Se eu tenho de fazer você feliz, então me dou o direito de brigar com você, quando você não faz o que eu espero.
- Se eu tenho de adivinhar o que ele quer, então ele tem de adivinhar o que eu quero também, pela *cara* que eu faço.
- Como é que vou lhe dar liberdade, se eu *me mato* por você?
- Se eu lhe der liberdade, ele me troca pela primeira que encontrar.
- Eu sei cuidar bem da minha liberdade, porque confio em mim, mas não confio nele.

Por esses exemplos, é fácil perceber que por detrás desses comportamentos e dessas crenças há certas regras impostas, mais ou menos, do seguinte teor:

- A necessidade de se sacrificar pelo outro, para ser suprido em suas necessidades.
- Projeções frustrantes: se cada um é único, como é que o outro tem de ser e agir como eu?
- Processo de frustração: sacrifício – expectativa – frustração – cobrança – briga.
- Autocobrança: ter de adivinhar; ter de ser perfeito.
- Falta de respeito aos limites reais.

É muito importante refletir sobre esses itens para perceber como se está deixando de promover relacionamentos positivos, sejam eles quais forem.

Assim, quais os aspectos que atrapalham um bom encontro?

- Cobranças, manipulação em busca de aceitação e afeto.
- Idealização de um tipo (o outro tem de se encaixar no seu tipo).
- Tentar fazer o tipo ideal do outro (ilusão).
- Ciúmes.
- Excesso de paixão.
- Processo de expectativa, como defesa aos sacrifícios.
- Jogos de poder, para receber atenção e energia.

O que se pode fazer para melhorar a relação a fim de promover um relacionamento autêntico e mais saudável?

- Melhorar a si mesmo, mediante processos de autoconhecimento, tentar entender as crenças e os decretos a seu próprio respeito, perceber as próprias necessidades e tentar supri-las.
- Sair das ilusões; assumir responsabilidade por si mesmo e por suas carências.
- O outro não *tem de...* nada nem você – desobrigue-se e desobrigue o outro.
- Fazer para si o que quer que o outro lhe faça.
- Trabalhar para aumentar a autoestima, para resolver o ciúme, a desconfiança e o processo de dependência emocional.
- Melhorar o diálogo na relação.
- Lembre-se: reivindicar não é cobrar.
- Expresse o que sente, mude o discurso, mude o tom.
- Seja verdadeiro e fale o que sente.
- Desiniba-se. Tome a iniciativa de fazer o que quer que o outro faça.

- Dê o exemplo: *agindo e não só pensando. O outro não é obrigado a saber o que está na sua alma se você não disser.*

Vamos elucidar cada um dos aspectos que atrapalham e estragam um relacionamento a dois, seja de que tipo for.

## Automanipulação

Automanipulação é não ser você mesmo com o objetivo de agradar o outro e idealizar que vai receber dele o que necessita. Isso gera uma sequência de: sacrifícios – expectativas – frustrações – cobranças – brigas – ódio – neurose ou separação. Na maioria das vezes, a manipulação começa no namoro, quando alguém tenta ser o que o outro quer que ele seja. Assim, a pessoa aceita mutilar-se, anular-se para ser aceita pelo parceiro. Não é verdadeira, finge, lança uma imagem que não é ela de fato, e isso acaba cansando; quando um dia decide ser verdadeira, choca o outro. No jogo da automanipulação, ela passa por cima de suas necessidades para satisfazer o outro e cria expectativas de que ele faça o mesmo. E ele vai devolver *o favor* somente quando quiser e da maneira como sabe, pode e quer. E, então, vem a frustração. Toda vez que passa por cima de si mesma, vai cobrar o quanto não recebe, brigar e pisar no *calo*, no ponto fraco que o outro também tem. E quando se fica frustrado, vem o ressentimento constante, que acaba virando ódio, principalmente se não for expresso. Tenho ouvido muitas histórias no consultório e constato essa sequência neurótica.

Por exemplo, uma garota está numa danceteria, dançando solta e espontaneamente; do outro lado está um rapaz bem à vontade com os amigos, tomando umas e outras. De repente, os olhares se cruzam, eles começam uma paquera, uma conversa. De repente, podem até *ficar*, e tudo bem, a coisa *rola* naturalmente. No outro dia, já começa o jogo de expectativas: *Será que ele/ela gostou de mim? Será que vai ligar?* Essa tortura começa quando a pessoa acha que controla a situação, só pensando nela. E é capaz de ficar o dia inteiro ao lado do telefone, numa ansiedade terrível, esperando uma ligação. E se não vier, vai curtir uma superfrustração, que enquanto frustração não tem nada de problemático. O pior é quando a pessoa associa a situação à conclusão fatal: *Se isso está acontecendo é porque eu não tenho valor, sou uma coisa ruim.* Aliada a essa conclusão, aparecem sensações de tristeza e depressão, como resultado da linha de pensamento depreciativa que a pessoa está tendo.

Enfim, depois de toda essa ansiedade, digamos que se falem e, se, por acaso, o *ficar* virar namoro, a manipulação se instala. Ela e ele começam a perder a espontaneidade inicial que os atraiu e tem início o jogo do tentar adivinhar pensamentos, atender às expectativas que ninguém pergunta quais são, apenas pensam e fantasiam.

Vou citar um caso interessante. Ricardo, 21 anos, em processo de terapia, falou sobre a atração que tinha por Patrícia, de vinte anos. A menina se mostrava muito autêntica, sempre expressando o que sentia. Eles estudavam juntos, e Ricardo admirava Patrícia pelo seu jeito forte, decidido, alegre de ser. Por questões de insegurança e baixa autoestima, o que estávamos trabalhando em terapia, Ricardo a observava e não se aproximava. Com o tempo, foi ganhando autoconfiança e iniciou uma amizade com ela, que continuava sendo, enquanto amiga, o que citei acima. Depois de cerca de três meses, numa festa, eles acabaram *ficando* e começaram a namorar. Nesse meio tempo, fomos trabalhando coisas da vida do Ricardo, sua relação com o trabalho, com os estudos, e pouco falávamos da Patrícia. Depois de alguns meses, Ricardo explodiu:

– *Rompi com a Patrícia.*

– *Nossa* – eu disse – *depois de tanto trabalho para conquistar a menina, já rompeu?*

– *É isso aí, ela está um pé... chata, mudou pra caramba, não é mais a mesma menina que eu conheci. Ela virou um grude, liga um monte de vezes por dia querendo saber onde estou, o que estou fazendo; fica o tempo todo tentando adivinhar meus pensamentos, só fica fazendo o que acha que gosto, e nem perguntar, pergunta, se é isso mesmo que eu quero. Ora, eu não quero namorar uma pessoa que tenta ser uma extensão de mim mesmo. A menina mudou e ficou desagradável, não é isso o que quero!*

E rompeu mesmo, sem dar nenhuma chance à pobre Patrícia.

Por esse exemplo, gostaria que ficasse muito clara a questão da manipulação. Ao longo da história, pelo menos nos últimos cinco mil anos, a mulher tem sido submissa, abdicado do seu poder, e isso é um arquétipo que as mulheres trazem em seu inconsciente. Assim, inconscientemente, ela não acredita que o que atrai um homem para ela é o seu jeito natural e espontâneo, enquanto está sozinha e não está interessada em ninguém. Basta perceber o real interesse dele, que já acha que tem de viver em função dele; e com isso começa o desrespeito. Passa a ter atitudes desrespeitosas e modifica sua vibração. O outro começa a tratá-la como ela se trata, com desrespeito. Mesmo que haja um sentimento real, vai tratá-la com desrespeito e cobrança. Nem sempre o caso acaba, como no exemplo do Ricardo; porém, se o relacionamento continua, tende a ser uma neurose que segue as seguintes etapas:

*Sacrifício* (mudança do jeito de ser), que leva à *expectativa* (de que o outro a reconheça e faça o mesmo que ela), que leva à *frustração* (o outro reflete apenas o que ela faz consigo mesma, e, com isso, fica frustrada), que leva às *cobranças*, que levam às *brigas*, com o consequente aumento da frustração, gerando muita *raiva e ódio*, o que faz com que o relacionamento, mesmo de pessoas que se gostam, vire um *inferno*, e elas acabem por se *separar*, ou vivem juntas se torturando mutuamente, numa *neurose incrível.*

Keila foi em busca de terapia por conta de uma depressão e síndrome do pânico. Esse quadro foi desencadeado por causa de um namoro turbulento, onde o outro a tratava muito mal, desrespeitando-a, manipulando-a, usando-a; a tudo ela se conformava, como se ele estivesse certo. É claro que com o somatório de desrespeitos e abusos, e com uma crise de pânico, acabou tendo a coragem de romper o namoro. Estava em frangalhos. Keila era filha única de mãe solteira, e, apesar de conhecer o pai, ele não foi uma figura significativa e presente. A mãe e toda a família cobriram Keila de mimos, cuidados, zelos excessivos, a ponto de ter tudo à mão, muito facilitado, sem que precisasse se preocupar com nada. O início do namoro foi leve, natural, enquanto ela não tinha certeza de gostar dele de fato. Quando começou a amá-lo, começou a série de desrespeitos, porque, a partir daí, ela passou a viver em função dele, totalmente. O seu desrespeito atraiu o desrespeito dele, pela própria imaturidade de um sujeito tão mimado quanto ela.

Na terapia, pôde entender que a depressão apareceu como resultado de um período de autonegação, com o fator agravante de nunca expressar o que estava sentindo. A síndrome do pânico teve o objetivo de chamar a atenção dela para o fato de que realmente não estava bem e precisava se cuidar, o que acabou fazendo, quando iniciou a terapia. A síndrome de pânico, de certa forma, foi interessante, porque a tirou de circulação, impedindo-a de continuar a viver em função do namorado, pois era ela que se deslocava até ele, não o contrário, levando-o para todos os lugares. Ela agia sempre para ele, não por ela. Aqui vemos a natureza protegendo, gerando certos sintomas, para que, por meio deles, a pessoa possa parar e tenha de se olhar e cuidar, compulsoriamente.

Percebemos, também, que emocionalmente, ela projetava o pai (ausente) nas figuras masculinas (namorado, chefe, tio). Tinha a crença de que precisava agradá-los, senão não iria ser aceita e amada, porque inconscientemente sentiu isso por parte do pai verdadeiro, de quem nunca recebeu atenção e carinho. O fato é que trabalhamos isso em terapia e ela foi centralizando, se conscientizando e melhorando em vários sentidos. Nesse meio tempo, começou a namorar outro sujeito, desta vez de caráter um pouco melhor que o outro. Eram amigos de longa data, na realidade. E acabaram *ficando* e depois namorando. Enquanto estavam somente *ficando* ela se sentia leve, natural e agia espontaneamente. Quando ficou claro que estavam namorando, a situação mudou de novo. Ela começou a implicar com coisas que antes eram naturais, a se incomodar com as amizades dele, a impor condições, represálias, a ficar com ciúmes, a querer controlar-se e controlá-lo em tudo; já não saía mais com as amigas, já não se arrumava como antes. Consequência: o namoro em pouco tempo virou um inferno. E nesse meio tempo, continuamos a trabalhar seus aspectos emocionais, fortalecendo-a a ser mais espontânea, autoconfiante, a falar francamente o que sentia, só que sem agressão, controle ou manipulação. O sujeito foi convidado a comparecer a sessões esporádicas com ela, para trabalharmos o diálogo entre eles e a convivência verdadeira e harmônica, sem sacrifícios ou expectativas.

Atualmente, ambos convivem bem. Keila continua se fortalecendo, procurando se suprir em suas necessidades, sem esperar que ele o faça.

Quando um relacionamento chega a essa espécie de guerra infernal, o ideal é rever os sacrifícios; há a necessidade de trabalhar a expressão do seu eu verdadeiro e de suprir as necessidades do eu emocional, sem depender do outro. Isso modifica a vibração, e, consequentemente o modo com que outro vai lhe tratar. É como sempre digo, não podemos mudar alguém que não controlamos, porém, indiretamente o mudaremos, se mudarmos nossas atitudes e a maneira como nos tratamos. Há também a necessidade de aprender a expressar o que você pensa, lembrando que reivindicar não é cobrar. Expresse o que sente, responsabilizando-se pelos seus sentimentos. Comece as frases com: *Eu me sinto... eu sinto que... a minha impressão é que...*; lembre-se que verdade atrai verdade, espontaneidade atrai espontaneidade, autovalorização atrai valorização. Assim, procure expressar-se de maneira verdadeira, espontânea, valorizando o seu sentir, colocando-se a favor de si e não contra.

É seu direito expressar suas necessidades, porém sem impor que o outro as satisfaça. Falar é se responsabilizar pelo próprio sentimento, assim, reivindicar não é cobrar. A cobrança fica estabelecida quando fazemos e não nos responsabilizamos pelo que fazemos; isso soa internamente como sacrifício; então criamos expectativas e fazemos cobranças: *Como você não fez isso ou aquilo? Você deveria ou teria de... etc.*

Veja bem: se você não *tem de* nada, o outro também não. Responsabilize-se pelo que você quer ou não fazer, não se obrigue. Ou você faz pelo coração (vontade verdadeira) ou não faz; repense.

Toda vez que você cobra ou critica alguém, ele estará mais preocupado em se defender do que em ouvi-lo. A cobrança e a crítica ofendem a liberdade essencial de ser, e isso levanta a defesa e a rebeldia e o outro fica armado, pensando em como se defender ou contra-atacar.

Expressar verdadeiramente o que você sente é a condição certa para que a outra pessoa o ouça.

Assim, o diálogo ideal é aquele em que você fala o que sente, responsabilizando-se pelos seus sentimentos, e também ouve o que o outro expressa, sem impor condições.

Entenda que você até pode manipular alguém, escolher eventualmente um modo de agir que lhe seja interessante e conveniente, de acordo com seus interesses. O que você NÃO PODE, JAMAIS, É SE MANIPULAR, FINGIR PARA SI MESMO.

Às vezes, ouço algumas colocações de garotas que tiveram uma relação sexual e depois se arrependeram. Então, eu pergunto o que as levou a fazerem algo que, na realidade, não queriam. Frequentemente, a garota responde que foi para agradar, ou por medo de perder o namorado, ou por medo da opinião do sujeito em achá-la *careta*, *quadradinha*, *bobinha*. O fator agravante dessas situações é justamente quando a pessoa passa por cima dos seus princípios internos.

Não sou uma pessoa excessivamente moralista, porém, penso que é importante respeitar os próprios princípios. Aliás, a única forma de traição consiste na própria traição, quando traímos o que sentimos, quando passamos por cima dos nossos princípios morais. Você não trai o outro, no máximo trai a si mesmo, quando contraria sua forma de ser. E tudo por causa de alguém, fora de você, com o intuito de mostrar-se *boazinha*, *legalzinha*, *moderninha*, a fim de agradar, achando que o outro vai fazer a mesma coisa por você. Ledo engano!

Parece que estou falando mais das atitudes das mulheres. Contudo, alguns homens também estão incluídos nesse esquema emocional. Eles também passam por cima de si mesmos para agradar a parceira e sofrem as mesmas consequências emocionais.

**Pare e reflita:** se alguém não consegue respeitar seus princípios, suas opiniões e o limite que você impõe, então esse alguém não serve para você. Se logo no início de um relacionamento, de um namoro, já ocorrem esses desrespeitos e você permite, que tipo de respeito futuro você vai querer, se já infringiu suas próprias regras de autorrespeito?

**Lembre-se:** automanipulação é desrespeito. Se quiser ser realmente aceito e respeitado por alguém, seja sincero e leal com o que sente!

## *Ilusão do ideal*

> Eu sou o que sou e neste momento não posso
> ser diferente do que sou.
>
> F. PERLS

Existem pesquisas interessantes dizendo que desde bebê, cada um de nós já tem um tipo ideal. Acredito que seja verdade e que ocorra justamente porque o tipo ideal é aquela nossa parte que precisa ser trabalhada e desenvolvida em nós e por nós, e o ideal dentro da nossa cabeça acaba sendo um ponto de referência que devemos seguir. É claro que não entendemos isso, e ficamos uma vida inteira procurando a pessoa ideal, com certo tipo físico, comportamento $x$, caráter $y$ etc. Criamos um imenso processo de expectativas, e, na maioria das vezes, relacionamo-nos e casamos com nossas fantasias e esperanças, e não com a pessoa real que está ao nosso lado. Achamos que o outro tem de nos amar, proteger, adivinhar pensamentos, tem de nos achar a pessoa mais importante do mundo, a mais graciosa etc., e ficar o tempo todo nos paparicando e reconhecendo para que nos sintamos bem e felizes.

Acontece que, apesar de isso acontecer frequentemente, não é o correto.

Primeiramente, precisamos perceber o que significa o ideal da nossa cabeça, como explicado anteriormente. Em seguida, precisamos fazer um trabalho interno, a fim de tomarmos consciência de nossas necessidades emocionais para sermos o ideal que somos em essência, a fim de nos suprir, sem achar que esse é um papel do outro mais próximo de nós. Vamos a algumas reflexões:

**Reflexão 1**
Reflita:
O que você espera do outro?
O que espera que ele/ela faça para você?
Como gostaria que ele/ela o tratasse?

**Reflexão 2**
Pergunte-se:
Quantas dessas coisas você se dá ou faz para si mesmo?

Quando você começar a refletir dessa forma, perceberá que tudo o que espera é o que você tem como necessidade emocional. Há a possibilidade de mudar o relacionamento quando você se trabalha, melhora e se assume. Comece a refletir como você cria sacrifícios para com o outro, deixando-

-se de lado, para depois ou em último plano, visando um retorno, que fará com que se você receber o que espera, vai se sentir amado, considerado e aceito. Será mesmo que é assim? Como já vimos anteriormente, é claro que não. Quando você cria uma sequência de sacrifícios por alguém, isso resulta numa vibração tão horrível de desrespeito, que esse alguém, apesar de amá-lo, não terá vontade de fazer nada do que você precisa. Lembre-se: sua energia chega antes de sua palavra. Quantas vezes já ouvi no consultório, comentários assim: *Eu a amo tanto, fico com saudades, mas na hora que chego perto, dá vontade de tratá-la mal, parece que ela exala algo como: me bata, me trate mal.*

E é isso mesmo o que acontece; a pessoa se trata mal, e por conta de suas atitudes para consigo mesma, vibra uma energia de desrespeito e vai ser maltratada, é lógico. Isso é uma lei vibracional e acontece para que a pessoa perceba a sua parcela de responsabilidade, que é justamente efetuar a mudança em si mesma. Se não estivesse pronta para mudar, isso não aconteceria, porque significaria que não há prontidão ainda. Lembre-se: a vida protege a ignorância, mas não protege a consciência. Isso é fato, e não adianta reclamar, porque somente vai gerar mais frustração. E você estará apenas adiando seu processo de amadurecimento, que se inicia, de fato, quando você começa a assumir a responsabilidade por si mesmo.

Entenda que quando fica fantasiando o ideal, ideias de como o outro ou as coisas deveriam ser, sua frustração é proporcional ao tamanho da sua ilusão ou expectativa. Aliás, desilusão significa exatamente a visita da verdade. Quando você fica frustrado demais, reveja suas expectativas. Por mais que você possa achar que não, o fato é que você é responsável pelas suas frustrações. Se não esperar – e lembre-se de que para não esperar você não deve se sacrificar, mas sim agir pelo coração ou vontade verdadeira – seu nível de frustração vai se extinguir.

Quando ficamos muito no departamento do *ideal*, criamos um conflito sério, porque ao olharmos para o departamento da realidade, que é onde vivemos, nos movemos e agimos, e acabamos muito bravos e chocados. A maioria diz: *Mas não é isso que eu esperava; onde já se viu ele ser assim, agir assim? Não é isso que deveria acontecer; as coisas não deveriam ser assim...*, e por aí vai.

Se quiser sair do conflito e do sofrimento, saia do *ideal*, fique no aqui e agora e flua com o real, que significa observar o momento atual, o que está acontecendo, o que precisa ser feito, qual a necessidade ou prioridade e por onde começar para se ter um resultado interessante. Veja que não coloquei resultado perfeito, porque ele não existe. Essa perfeição que esperamos não existe. O que existe é o melhor que conseguimos fazer para satisfazer nossas necessidades, o que, sem dúvida, vai gerar um resultado confortável, bom e interessante.

Um detalhe também importante no que se refere ao *ideal* é confrontar as cobranças que você se faz. Cobranças sobre ideais de perfeição, de nunca errar, ter de adivinhar pensamentos, fazer o outro cem por cento feliz, nunca desagradar, ou seja, cobranças absurdas que obviamente implicam em sacrifícios e falta de espontaneidade, uma vez que a cobrança *mata* a vontade verdadeira, ou espontaneidade.

**Reflita**: se você tirar o peso de suas próprias cobranças e se deixar fluir com o momento, será que não terá mais paciência e respeito para com o outro, dando-lhe os mesmos direitos? É claro que sim, experimente!

## Dificuldade de assumir responsabilidade por si mesmo

Esse tipo de dificuldade embute algumas aprendizagens errôneas e alguns vícios, como veremos a seguir.

### *Papéis – roteiros ou* scripts

É interessante observar como a maioria das pessoas tem ideias sobre os papéis que devem desempenhar de acordo com as ocasiões. E isso é passado de geração para geração como se fossem comportamentos corretos e adequados, e as pessoas vão assumindo como se fosse verdade absoluta. Tomemos como exemplo uma garota de cerca de dezenove anos que está namorando e engravida. Normalmente, num caso desses, acontece uma certa cobrança familiar para que ela se case ou passe a morar com o namorado. Imaginemos que já que o casal se gosta, montam uma casa ou apartamento e se casam. Neste exato momento, a nossa garota que, de certa forma, já vinha numa certa automanipulação por conta do namoro, onde, como foi dito anteriormente, já modificou um pouco seu jeito de ser, começa a se cobrar para ser uma excelente esposa. Agora, como esposa ela *terá de* limpar a casa, fazer o jantar, lavar roupa, isso se não trabalhar, e mesmo se tiver uma empregada vai se cobrar do mesmo jeito ou será cobrada pela família, pelos amigos etc.

E, com certeza, antes mesmo de o bebê nascer, começará a se cobrar para ser uma excelente mãe.

Pergunta: excelente sob que parâmetros? Ah, sob os parâmetros familiares e tradicionais, é claro!

Mas cconvenhamos, será que existe cursinho para ser excelente esposa e mãe? E quanto a ser excelente amante? Coisa que é cobrada e esperada pelos companheiros, sem que no mínimo percebam como são péssimos amantes, e cobram isso da mulher. Como esperar da garota que em questão de alguns meses, seja uma excelente esposa, amante e mãe? Ah, mas ela vai se cobrar a mesma coisa, com certeza. E sem perceber que não é possível se cobrar um absurdo desses.

Precisamos rever esses papéis. A solução é que você abra espaço para poder ser mãe e pai do seu jeito; perceba que você é uma pessoa que também pode ser mãe, esposa, pai, esposo, amante, e que pode aprender, e também pode deixar transparecer que às vezes não sabe, *e não tem de saber, e não tem de ser perfeita.*

Reflita e pare de incorporar papéis que ofendem sua individualidade; no mínimo, questione se é sua obrigação ter de ser o que a sociedade, a família ou a religião esperam que você seja.

\* \* \*

Certa vez, uma mulher casada há oito anos me procurou para ajudá-la num quesito importante. Ela e o esposo eram filhos únicos, e depois desse tempo de casados, as respectivas famílias estavam, literalmente, desesperadas, cobrando que o casal lhes desse o *primeiro neto*. Só que eles não queriam ter filhos. A cobrança era tão grande que ela procurou a terapia porque se achava a mais culpada das criaturas por não satisfazer a expectativa dos pais e dos sogros. O marido, àquela altura, jogava toda a responsabilidade nela, dizendo: *Oh, ela é que não quer; ainda é cedo* ou *ela não consegue engravidar* etc., também com muita dificuldade de se posicionar junto aos pais quanto ao desejo de não querer ter filhos. Sem dúvida, a postura da família era muito egoísta. É claro que os pais têm o direito de desejar o neto, o que não podem é impor isso como se fosse uma obrigação dos filhos em ter de lhes satisfazer às expectativas.

Acho que você já viu ou sentiu isso na pele. Antes de namorar, a família e a sociedade cobram:

– *E aí, não vai namorar, não? Já não está na hora de namorar?*

Se você já namora há algum tempo, vem uma nova cobrança:

– *E o casamento, quando acontece? Vai demorar?*

Depois do casamento, então:

– *E o primeiro bebê, hein, para quando é?*

E depois do primeiro bebê, outra pergunta:

– *Mas vai ficar só no primeiro? É muito pouco, quando vem o segundo?*

Isso acontece com tudo, sempre haverá alguém cobrando coisas como se precisássemos seguir padrões, regras, *scripts*; como se tivéssemos de pagar altas multas se não os cumprir.

Com tantas cobranças e expectativas sociais, tradicionais, religiosas, como se tivéssemos sempre de corresponder a um padrão, para nos sentirmos aceitos e aprovados. É normal esse sentimento de inadequação, quando, por exemplo, uma garota não arranja um namorado até os vinte anos, ou ainda não beijou ninguém, ou ainda é virgem. O mesmo acontece quando o rapaz, aos quinze anos ainda não teve sua primeira relação sexual. Eles começam a se sentir verdadeiros ETs, como se não fossem normais, humanos, como se algo estivesse fora do lugar, e com isso, a autoestima cai sobremaneira. Já tive vários casos de pessoas que procuraram a terapia por conta disso. Penso que antigamente a coisa era bem pior e as mudanças dos últimos tempos estão criando um contexto mais leve; porém, ainda é forte o padrão tradicional que incorporamos e que *temos* por obrigação cumprir.

**Reflita:** será que tenho mesmo de ser o que esperam de mim? O que vai acontecer de tão terrível se eu não atender às expectativas e aos padrões preestabelecidos?

É muito importante esse questionamento para que você se dê a liberdade de seguir um contexto somente seu, que o faça sentir-se bem e realizado de acordo com seu próprio querer. Questionar-se o que de bem terrível pode acontecer se não fizer o convencional serve para você se conscientizar dos seus medos inculcados e que precisam ser olhados por você mesmo, para vencê-los, sem violentar sua individualidade.

Reflita e procure sair das cobranças do tipo: *Agora que casei, tenho de..., agora que sou mãe, tenho de...* e tente ser tudo isso do seu jeito. Você não tem de saber e pode dar-se um espaço para aprender, observando as pessoas, lendo alguns livros, criando, com isso, esclarecimentos, sem cobranças.

Há um certo tempo atendi um casal que estava casado havia um ano, e tinha namorado cerca de sete anos. Apesar do pouco tempo de casados, a vida deles era um inferno, brigas constantes e muitos desentendimentos. Ela foi logo se queixando que ele não a ajudava em nada, que se recusava a jantar, que a criticava constantemente e que estava arrependida por ter casado.

Constatei que durante o tempo do namoro, o relacionamento até que foi bom e eles não brigavam. O que aconteceu então? O que mudou depois que se casaram?

Ela iniciou reclamando do descaso dele com relação ao jantar que ela lhe preparava. Ele respondeu que não era descaso, pois ela sabia que ele não gostava de jantar, logo, não recusava o jantar, apenas não gostava de comer comida à noite, preferia um lanche leve. Nossa conversa foi a seguinte:

– *Você não sabia disso?*

– *É claro que sim.*

– *E por que não pode respeitá-lo?*

– *Acontece que agora estamos casados; minha mãe sempre fez o jantar para o meu pai, e eu também tenho de fazer. Acho uma sacanagem ele não comer se eu já fiz.*

– *Eu não tenho de comer; por que você não me liga e pergunta o que estou com vontade de comer; assim não haveria encrenca.*

Quanto à queixa pelo fato de ele não ajudá-la nos serviços de casa, ele disse:

– *Mas não é necessário; temos empregada, por que é que eu teria de passar o aspirador na casa no sábado se a faxineira vem na segunda?*

Ao que ela respondeu:

– *Porque eu tenho de limpar a casa no sábado, e você tem de me ajudar e pronto!*

Você já deve ter percebido o padrão de cobranças que ela adotou depois que se casou. Aliás, toda sua raiva e agressividade eram um resultado de suas próprias cobranças, totalmente sem nexo. Ela introjetou o modelo de esposa a partir do comportamento de sua mãe, e colocou-o em prática assim que se casou. É interessante observar como o casamento ou o ato de morar junto tem uma egrégora muito forte. Egrégora é o conjunto de energias que fazem parte de um evento, local ou condição, que se forma por repetição e ao longo do tempo. O que acontece é que, naturalmente, as pessoas acabam entrando nessa egrégora e se sentem intimamente pressionadas a mudar porque *agora estão casadas*; assim, casamento e maternidade acabam pesando por conta de todas as cobranças, regras e *tem de...*

No exemplo do casal citado, as brigas eram o resultado das cobranças que ela se fazia, criando, com isso, uma irritação interna muito grande; por conta dos sacrifícios que fazia, sem perceber, criava também várias expectativas e consequentes frustrações, é claro.

**Reflita:** o que você se obriga a ser ou fazer? Quais os papéis que você assume sem se questionar?

*Dicas*

- Repense os papéis que você assumiu.
- Desobrigue-se.

- Saia do conformismo e da passividade.
- Crie espaço para se *permitir* ser marido/mulher/mãe ou pai do seu próprio jeito.
- Perceba a necessidade de sentir o que é melhor, como é que você se sente melhor e de bem consigo mesmo.
- Perceba que não existe um modelo único; se cada pessoa é uma individualidade e tem o direito inerente de ser diferente de qualquer outra, por que deveria haver um único modelo de mãe/esposa/amante/pai etc.?
- Desidentifique-se, por exemplo, ser casado é um estado de coisas. Ninguém é casado. A pessoa está casada. Assim, não diga: Eu *sou* casado, porém, eu *estou* casado. Desidentifique-se dos papéis e perceba que você é uma pessoa que também é mãe, esposa, pai, esposo, e não o contrário; a esposa e mãe, ou o esposo e pai, que de vez em quando é uma pessoa.

### Tendência de se responsabilizar pelo outro

A ideia de achar que se pode assumir responsabilidade sobre a felicidade ou o humor de alguém normalmente se instala na infância. É muito comum, mediante certas chantagens emocionais ou por conta de um ambiente conturbado, a criança incorporar a ideia de que se agir de determinada forma ou se fizer determinadas coisas de certo jeito, a mãe ficará feliz, mais calma e não brigará com ela. A partir disso é instalada a associação de que ela é responsável pela felicidade, pelo humor das pessoas que a rodeiam, já que foi isso que concluiu em algum momento e introjetou como possibilidade real; claro que *fazer o outro feliz* funcionava para, indiretamente, sentir-se segura, porque se a mãe ficasse bem, não brigaria com ela nem a maltrataria, e, assim, iria se sentir tranquila e segura.

Outro contexto que pode criar essa crença de responsabilidade é um quadro de doenças graves dos pais ou pessoas que cuidavam da criança. É muito comum que a criança desenvolva crenças de que tem de se comportar muito bem, não dar trabalho à mãe, que está doente, uma vez que isso pode piorar seu estado, e, consequentemente, ela vai se sentir culpada e com medo de a mãe morrer e ela ficar desamparada. Com isso, passa a acreditar que é responsável pela saúde ou pelo bem-estar das pessoas que a rodeiam.

Além desses contextos, também é muito comum que, tanto o homem quanto a mulher incorporem modelos comportamentais tradicionais e arquetípicos com a tônica de que são responsáveis pela harmonização de um lar (isso acontece mais com a mãe), ou pela ideia de que a felicidade dos filhos está em suas mãos (pai).

Por conta disso, fica implantada a ideia dessa responsabilidade, como se essas pessoas realmente tivessem essa capacidade.

No relacionamento, essas crenças geram, comumente, ideias como: *eu tenho de fazê-lo feliz; a felicidade dos meus filhos depende de mim*. E o tempo todo, essa mãe ou esse pai, por exemplo, vão se policiar, controlar-se mesmo e podar-se ou cobrar-se, achando assim que a felicidade da família está garantida e eles finalmente podem se sentir seguros e tranquilos. E assim, não param para refletir, que, com esse comportamento, infringem regras naturais, pois ninguém tem o controle ou a responsabilidade sobre a felicidade do outro. Como pensam que isso é possível, dão início a um processo de sacrifício, porque, ao considerar o que seria a felicidade do outro, não entram em contato com o que seria sua própria felicidade, e, assim, sem dúvida se abandonam, uma vez que dentro de um padrão como esse, a pessoa não age pelo coração, de acordo com sua vontade e possibilidade verdadeira, e sim pela ideia de obrigação que acha que tem para com o outro. Ao infringir as regras naturais e gerar sacrifício, a pessoa cria expectativas de que os outros envolvidos se responsabilizem pela felicidade dela, o que não acontece, é claro! Então, numa espécie de autodefesa ela se autoriza, posteriormente, a cobrar que o outro também a faça feliz. Cobranças como: *você tem de fazer isso ou aquilo para mim, por mim etc. Veja tudo o que eu faço para você. Olhe o que você faz comigo.* Tudo isso é exemplo desse processo.

Ninguém assume que pensa assim, mas se analisarmos bem é exatamente o que acontece. Quando alguém se responsabiliza indevidamente pelo outro, vai querer algo em troca, vai esperar que o outro também cuide dele.

O que acontece, então? Há um *deslocamento de poder*. A pessoa pensa: *Se eu tenho de fazê-lo feliz, então me dou o direito de cobrá-lo, quero seu apoio, quero ser a única etc.* Isso se chama *jogo do troca-troca*, que significa jogar na mão do outro a responsabilidade de ser feliz. O pior é quando o outro pega, compra essa cobrança e devolve, mediante novas cobranças e expectativas.

Daí se instaura uma neurose, onde cada um tenta se responsabilizar pelo outro e nunca por si mesmo, indo totalmente contra as regras e os limites reais da natureza verdadeira. E, é claro, com tantas cobranças, o relacionamento se transforma numa grande neurose, num verdadeiro sufoco, onde o casal tende a se torturar em nome de um pseudoamor.

**Reflita:** a verdadeira responsabilidade que um pai ou uma mãe tem é pelo filho, enquanto pequeno e inexperiente. A partir do momento que o filho começa a aprender a fazer coisas para e por si mesmo, os pais não são mais responsáveis por aquilo que ele aprendeu. Aliás, o ideal seria que os pais não fizessem para os filhos aquilo que eles já aprenderam. Isso serviria para gerar autoconfiança nas crianças. Como alguém pode ter confiança em si mesmo se o tempo todo ninguém o deixa fazer nada? Quantas vezes já ouvi depoimentos de mães que, por causa da pressa, digamos numa manhã, antes de ir para a escola, dá comida na boca do filho (de oito anos) para *ir mais rápido*. Mães que amarram os tênis dos filhos de doze ou treze anos, porque são meio *moles* e isso serve para *ir mais rápido*. Sempre aconselho que seria preferível deixar o filho ir descalço para o carro e que ali ele próprio amarrasse os tênis.

Pais, é interessante que percebam que não é maldade deixar os filhos fazerem o que já sabem; pelo contrário, com essa atitude vocês estarão gerando neles autoconfiança, autossuficiência e independência.

Às vezes, sinto uma resistência muito grande por parte dos pais, e mais ainda das mães, em conferir independência para os filhos. E por quê? Porque aprenderam que devem viver para os filhos. Afinal, se eles adquirirem independência, elas vão viver para quem, uma vez que não sabem e não querem assumir responsabilidades por si mesmas? Essas mulheres precisam deixar de ser mães, começar a cuidar de suas crianças internas e amadurecer! Precisam deixar de ser controladoras e confiar mais na vida. Reflitam sobre isso!

Ninguém tem a capacidade real de se responsabilizar pelo outro. É antinatural. Cada um é, cem por cento, responsável por si mesmo, assim diz a Lei da Vida. Pode-se ser um companheiro, estar lado a lado, ombro a ombro, mas não *dentro* do outro. Não há forma de entrar no organismo do outro e controlar seu sentir, suas dores etc. Assim como ninguém pode entrar no seu organismo e controlar as coisas dentro de você, certo? Assim, reflita sobre suas reais capacidades para perceber que o significado de responsabilidade é apenas a capacidade de responder por algo que se faz. Por exemplo, alguém toma dez garrafas de vodka e no outro dia fica com ressaca. O correto é que assuma a responsabilidade, no sentido de perceber o que fez, e, de preferência, aprender com isso, para não gerar novamente o mesmo tipo de mal-estar. Não é somente pelo conselho que alguém muda, mas sim quando percebe que o que faz não é bom, quando trabalha sua autoestima e se propõe a fazer somente o bem para si mesmo. O fator responsabilidade difere uma criança de um adulto, pois o adulto já tem algumas experiências ou raciocínios que o fazem prever uma resposta a algo. Por exemplo, uma criança não sabe que colocar o dedinho na tomada dá choque, e que colocar a mão no fogo, queima; porém, quando o faz e leva um choque ou se queima, aprende o que não tem de fazer. Por tudo isso, diante do que não sabemos, é ridículo e pesado cobrar-se não errar, porque ainda não sabemos e somente aprenderemos ao colocarmos algo em prática, pela experimentação, e então, ganharemos a vivência e poderemos pensar se queremos ou não repeti-la. Logo, repetir o que não foi bom ou que gerou um péssimo resultado é falta de bom senso ou pura teimosia.

A responsabilidade consiste, então, na capacidade de gerar respostas, sem a necessidade de acertar. E é assim em tudo o que se faz. A diferença entre a criança e o adulto está no raciocínio e na capacidade de criar ou prever essas respostas. Não devemos confundir responsabilidade com perfeccionismo ou seriedade, muito menos com obrigação. Responsabilidade é a habilidade de responder por algo; obrigação é a ideia de ter de fazer algo, onde aparentemente não há opções ou que gera represálias, multas ou castigos. Nesse contexto, perceba como você pode estar confundindo obrigação com responsabilidade. E, na realidade, tudo é uma grande opção. O que normalmente consideramos uma obrigação está mais relacionado às cobranças que criamos em nossa cabeça, às crenças perfeccionistas e escravistas que fazemos e que precisam ser questionadas.

Normalmente, ouço pessoas dizerem que trabalho é obrigação, pagar contas é obrigação, lavar louça, limpar a casa, cuidar dos filhos etc., são grandes obrigações. Discordo. Tudo é uma grande opção.

**Reflita:** tudo o que você quer tem um preço, e você deve pagar, tudo impõe um gasto de energia. Assim, tomar água para matar sua sede, requer o trabalho de pegar um copo, enchê-lo e engolir. Mesmo que alguém segure o copo em sua boca, o trabalho de engolir é seu. Tudo isso serve para você ficar confortável, sem sede. Para tudo, o raciocínio é o mesmo. Se quisermos morar numa casa confortável, precisaremos de dinheiro para bancar o conforto. Se não temos ninguém que nos dê o dinheiro, e, efetivamente, ninguém teria essa obrigação, o trabalho em si é uma opção, porque queremos viver bem e com conforto. Limpar a casa, lavar roupas, também são opções. Se você não tem quem faça isso por você, na medida em que você preferir viver num local limpo e organizado, você vai limpar a casa e lavar as louças, não é mesmo? E isso não é uma opção? Se houver um determinado momento em que você não esteja com vontade de fazer isso, você deve se dar esta liberdade; afinal, as roupas, louças e a casa não ficam buzinando para chamar sua atenção. Cuidar dos filhos também é opção, ou você acha que eles vieram sem que você quisesse? Cuidar dos filhos do seu jeito é seu ponto de liberdade, certo? Espero que consiga perceber a diferença entre responsabilidade (resposta que garante um resultado que você quer) e obrigação (simplesmente a ideia de ter de, sem se dar opções).

## Ciúmes

O ciúme é realmente um problema no relacionamento. Certo grau de ciúme é plausível, tolerável e comum. Mas o ideal seria que não fôssemos tão apegados a alguém, porém certo ciúme preserva o que gostamos. Por exemplo, você não gostaria de que uma pessoa mexesse naquela sua coleção de CDs ou livros que custou tanto para você formar, não é mesmo? Assim, um pouco de ciúme é interpretado como instinto de preservação, uma forma que demonstra cuidado pelo que amamos. Contudo, um ciúme doentio, crises de ciúmes que levam a descontroles emocionais ou a uma tentativa de um controle abusivo sobre alguém, denotam um sintoma neurótico ou até um quadro psicótico, como no caso de crimes passionais, vinganças elaboradas etc. E, é claro, essa emoção tem uma série de explicações e raízes.

Normalmente, há um histórico de autoestima muito baixa, na maioria das vezes causada por situações de vida, em que o indivíduo se sentiu muito desvalorizado, criticado ou muito cobrado, por exemplo, dentro de uma educação muito austera. A sensação de ciúme tende a aparecer toda vez que o indivíduo sente que corre o risco de ser rebaixado, rejeitado, depreciado e anulado, e isso está associado ao abandono e à morte. É claro que essa interpretação catastrófica está em seu subconsciente, sem necessariamente estar ligada a uma situação real; o indivíduo ciumento cria essa interpretação devido às situações emocionais vividas, e o ciúme acaba sendo, então, uma defesa psicológica, em que ele tenta se defender, na realidade, do conteúdo de pânico instalado em seu eu emocional. Como, subconscientemente, o medo é grande, ele lança mão do ciúme, como forma de controlar o outro e se defender, como objetivo básico. A falta de autoconfiança é enorme e ele não confia em si mesmo, acreditando não ser capaz de criar sentimentos apropriados e positivos nas pessoas, não acredita que seja único, portanto, especial, e também não acredita *naquele fator* espontâneo e verdadeiro que atraiu o outro para si.

Por exemplo, uma garota numa balada, dançando espontaneamente, conversando com as amigas, de repente nota um sujeito lá do outro lado; de repente começa uma paquerinha, uma aproximação, um papo, um selinho, até que acabam *ficando*, e, depois de um tempinho, tem início o namoro. Anos mais tarde, depois de casados, ambos vão se lembrar desse *algo* interessante que atraiu um para o outro. Esse algo é especial, e só existe entre os dois. Se o relacionamento terminar, e ele ou ela se relacionar com outra pessoa, será outro algo especial, que não se repete, porque cada um é um, único.

O ciúme também pode se instalar como um jogo de manipulação iniciado no começo do namoro para suprir crises de insegurança. Por exemplo, o casal começa a sair sob aquela paixão incrível de todo início de namoro; depois de um tempo, passam a sair com outros casais de amigos ou grupos, ou mesmo podem estar num restaurante, onde, por exemplo, ele olha para uma garota que está passando. Exatamente nesse momento, a namorada tem um ataque de ciúmes, por pura insegurança e sentimento de posse, e acaba demonstrando. Ele se sente *culpado* e entende que não fez algo correto, mesmo se o fez naturalmente, sem outras intenções, e começa a se policiar para não repetir o fato. A ciumenta em questão, toda vez que se sentir insegura vai fazer uma ceninha, para receber atenção dele. Está, então, implantada uma regra neurótica no relacionamento: *quando um deles se sente inseguro e necessita de atenção, faz uma cena de ciúme, então o outro se sente culpado e concede toda a atenção e, com isso, reforça o comportamento do elemento inseguro, e essa neurose instalada vai se repetir até que alguém mude o contexto dentro de si mesmo.* Pela minha experiência, quando alguém na relação começa a se questionar ou mudar, o relacionamento entra em crise, porque não há mais retroalimentação, ou seja, reforço. E quando isso acontece, o outro se sente no vácuo. O que é bom, porque dá condições para a outra pessoa repensar e mudar também.

Tudo isso é importante no relacionamento. Sempre digo que, se o relacionamento tem um sentimento forte como sustentação, ou seja, se o casal se ama de fato, ele suporta crises e quando um muda, o outro também vai mudar e fazer sua parte. O relacionamento continua mais maduro e melhor. Contudo, quando não há um sentimento forte, ou quando um dos dois não tem a prontidão ou a vontade de mudar, o relacionamento acaba.

Normalmente, o ciumento tem uma forma de pensar meio tacanha. É capaz de gostar da liberdade, tendo vontade de se liberar, mas, ao pensar que ao se dar essa liberdade, teria de dar ao parceiro, também acaba por se tolher e projeta sua necessidade no outro. O ciúme, então, embute a projeção do que ele acha que o parceiro quer ou precisa fazer, quando isso é o que ele faria ou gostaria de fazer. E por que nega suas necessidades? Basicamente por se impor regras, papéis, agir pelo orgulho, entre outras coisas. Por exemplo, quando se casa assume o papel de fidelidade absoluta, ou seja, *agora que casou, não poderá achar mais ninguém bonito, não poderá sentir nenhuma atração por ninguém, não poderá sequer olhar para alguém com admiração ou desejo, não poderá nem pensar nessas coisas.* Com uma regra dessas, o que acontece? A pessoa se tolhe e se abafa tanto, que acaba projetando esse conteúdo no outro e pensando: *Ele sim que olha, que deseja, que admira; enfim, que trai ou tem a possibilidade de vir a trair.*

Tudo o que negamos em nós, aparece lá fora, justamente para que nos olhemos. O espelho do ciumento é a pessoa de quem se tem ciúme, tudo projetado por ele mesmo.

**Reflita**: claro que, mesmo casado ou comprometido, alguém pode olhar para outras pessoas e achá-las bonitas, sensuais, desejáveis, mas isso não representa infidelidade; pode, inclusive, sentir tesão por alguém, isso é a coisa mais natural do mundo. É o que se sente. E não é por esse motivo que precisa desencadear uma ação, ter um caso, trair etc. Agir assim é outra história. Só que, o que não se pode fazer é negar o que se sente. Ninguém pode controlar para onde o outro olha e o que sente, isso é neurose pura.

Há ciumentos que têm uma crise se o(a) companheiro(a) vir alguém na televisão, um ator, ou uma atriz, ou artista de outro país, inclusive, e tecer elogios dizendo que ele(a) é bonito(a), sensual etc. Vira briga, com certeza! Isso se chama insegurança, sentimento de posse, infantilidade, uma vez que o ciumento não se segura em si mesmo, não vê valor algum em si mesmo, e elegeu o outro para supri-lo em suas carências. Todo sentimento de posse é dependência emocional e o dependente-ciumento precisa do outro para sobreviver, e, o pior, é que o trata mal, uma vez que toda crise de ciúme gera maus-tratos, desconforto, desrespeito e poda da liberdade de ser do outro.

É claro que quem está com um ciumento o atraiu por alguma boa razão, pois nada é por acaso. Normalmente, quem está junto de um ciumento é tão inseguro quanto, só que num lado oposto. Adora as crises de ciúme, porque isso o faz se sentir importante e acha que é uma *prova de amor*. Cada vez que se sente inseguro, dá um jeito de dar uma olhada para os lados, fazer um comentário qualquer sobre alguém para levantar a crise de ciúme no companheiro, e com isso, sente-se suprido em sua necessidade de valorização. Assim, quando um dos dois se cansa dessa manipulação, o outro tem de rever sua posição, e, se não mudar, o relacionamento provavelmente termina.

Por outro lado, de tanto pensar que o parceiro vai trair, isso acaba se concretizando, o que reforça ainda mais aquela conclusão fatal de baixa autoestima de *nossa, como eu sou ruim, uma perfeita droga!* O contexto aqui é de autoestima superbaixa, arrastando quase no chão. O ciumento se acha inferior, menor e não se sente merecedor de coisas boas, por essa razão acaba se negando o prazer. O que o irrita é saber/imaginar que o companheiro possa ter prazer com outra pessoa ou outra coisa (amigos, jogos, lazer etc.). Como ele não se supre e fica cobrando esse suprimento do outro, acha que ele tem de considerá-lo o centro do mundo para se sentir bem. E mesmo quando recebe isso, não acredita, acha que é manipulação, porque ele se manipula o tempo todo.

Aliás, aqui vai um conselho: se você tem um relacionamento com um ciumento, saiba que jamais conseguirá supri-lo, mesmo que você viva inteiramente para ele, fazendo somente o que ele quer. Sabe por quê? Por causa da autoestima superbaixa dele. Alguém que tem uma autoestima muito baixa não vai admirar a pessoa que se submete a ele, pois com isso estaria se nivelando a ele. Por conta de seu autoconceito ruim, quem se nivela a ele ou se submete, é, por consequência, tão ruim quanto, e não somente será maltratado como desvalorizado pelo ciumento, que tem um desafio: submeter totalmente o outro. Quando consegue, desvaloriza-o totalmente, como já foi explicado, e continuará exigindo porque, por mais que alguém tente preenchê-lo, jamais conseguirá, porque ele mesmo não o faz. O vazio é constante e a infelicidade também, não somente para o ciumento, como para quem entra no jogo dele.

É terrível e pesado o sentimento de posse que o ciumento tem, uma vez que é dependente, logo não se sente, precisa do outro para se perceber; assim fica difícil para ele entender que cada um é de si próprio, que ninguém é de ninguém. Para ele, é difícil perceber que *companhia é usufruto e não monopólio*.

O ideal é tratar o ciumento, jogando-lhe a responsabilidade pelo que sente e jamais mimá-lo entrando no seu jogo. É claro que, para isso, a pessoa que convive com o ciumento tem de trabalhar muito seu autoconhecimento e entender a própria insegurança, motivo pelo qual atraiu um ciumento para si mesmo.

Num relacionamento, quando se ventila o medo que o ciumento tem de ser traído, é interessante refletir que a verdadeira fidelidade é consigo mesmo; você não trai o outro, no máximo trai a si mesmo e seus princípios internos. O significado de maturidade e responsabilidade é agir e assumir as consequências. A segurança na fidelidade é não exigir nada, é deixar o parceiro fazer o que quiser; a vida é dele, o problema é dele. Contudo, o medo do inseguro é: *se eu sol-*

*tar, eu perco*, quando o que acontece é o contrário, por prender é que se perde. Tudo o que se tenta controlar demais, não se tem; não se pode controlar o outro, e na realidade não se tem o outro, somente o sentimento por ele. O outro não é posse, é diferente de uma coisa material que você compra, usa e pode se desfazer.

Por outro lado, reflita: *uma pessoa somente fica com outra quando é livre.* Quando alguém se sente passado para trás, com o orgulho ferido, não é questão de amor, é orgulho, é vaidade, é a sensação de vazio que aparece quando se achava que o outro podia preencher o buraco emocional.

*Alguém se submete porque quer que a outra pessoa seja a fonte de sua satisfação,* e quando percebe que isso não é possível, entra o *bebê chorão* com cobranças e reclamações. Parece que no casamento ou nos relacionamentos há uma ideia arquetípica de uma imensa proibição quanto a cada um se fazer feliz; cobramos que cada um faça o outro feliz, arranjamos uma pessoa que nos faça felizes e o pior é que isso significa dependência.

*Toda vez que se tem o medo de perder algo, significa que a pessoa tem uma muleta e não um amor.*

Quando há dependência, significa que não se ama realmente; quando a pessoa se ama, respeita o outro como ele é.

Respeito é olhar com bons olhos, é perceber sempre a boa intenção atrás da ação; perceber que isso é o melhor da pessoa. Se há amor e autossuprimento, não há dependência, porque cada um faz por si mesmo; se não há, ocorre a dependência, a insatisfação e o rompimento, que está ligado à grande insatisfação da alma (uma espécie de morte existencial que determinado relacionamento provoca, quando a pessoa literalmente *se anula* por inteiro por conta de suas crenças de como *tem de* ser, sem se deixar ser aquilo que verdadeiramente é).

**Reflita:** quando você solta, você tem; ao tentar segurar ou controlar demais, você perde. O que facilita a amizade e a troca saudável no relacionamento é a sua serenidade, por meio de suas atitudes consigo mesmo, quando você se supre em suas necessidades emocionais, criando seu equilíbrio emocional.

O ciúme pode significar uma projeção ou espécie de inveja. Normalmente, o objeto de ciúme é alguém que o ciumento acha que é melhor que ele e que ele no fundo gostaria de ser ou parecer. Então, vemos que aquilo que ele considera melhor no outro são os seus próprios potenciais e virtudes que estão sendo projetados naquela pessoa, porque ele não consegue se perceber e sentir esses potenciais e virtudes dentro de si. É o caso, por exemplo, de uma mulher que tem ciúme de uma vizinha ou de uma colega de trabalho do marido, que é mais ativa que ela ou que desempenha tarefas que ela também gostaria de fazer ou tentar aprender. O fato é que como não tem coragem de ir à luta, projeta isso nas outras; afinal, na cabeça dela é mais fácil brigar com o marido ou proibi-lo de falar com a colega. Não é mesmo?

A crise de ciúmes de uma pessoa ciumenta também pode funcionar como um controle, com o objetivo de se salvaguardar da sensação terrível de impotência. Uma traição, que é um dos maiores medos do ciumento, significaria uma perda, que resultaria numa sensação ruim de abandono e rejeição. Para o ciumento, que, na maioria das vezes, é dependente e carente emocional, o ciúme funciona como controle para não perder e não se sentir rejeitado e abandonado. O ciumento tem a crença de que pode controlar o outro por meio de seu ciúme. Quando, em terapia, peço a um ciumento para confrontar o medo da perda e perceber o que tem de muito terrível nessa ideia, além da sensação de abandono, vem a sensação de impotência. É claro que ninguém tem o poder de segurar alguém, mas para o ciumento essa impotência quer dizer que ele é impotente (fraco), porque não conseguiu segurar o outro. A verdade é que impotência aqui é limite real, e não deveria fazer mal a sensação de que existe um limite real. Só que no ciumento a sensação de impotência é terrível, e, com isso, a natureza dele só quer lhe mostrar como ele não respeita o próprio limite de que não é possível exercer controle sobre quem quer que seja nem sobre nada que esteja fora de si próprio.

Certa vez, Rodrigo, um homem de cinquenta e quatro anos, procurou a terapia com o objetivo de trabalhar o seu ciúme. Passou por dois casamentos, e, na ocasião, estava namorando outra moça. Os relacionamentos anteriores acabaram, segundo ele, por incompatibilidade de gênios e por conta do ciúme excessivo que sentia. Rodrigo se mostrou extremamente infantil e carente de afeto, com uma autoestima muito baixa, sentindo-se realmente inferiorizado. A raiz emocional de não se sentir bom o suficiente residia em sua história de vida, onde nunca ouvira alguém lhe dizer: *Eu te amo*. Por mais que tentasse fazer tudo direitinho, mostrando-se um bom garoto, estudioso, comportado etc., os pais eram tão austeros que nunca lhe deram um *feedback* afetivo. Rodrigo tinha a sensação de não ter nenhuma importância para o pai, o que lhe causou um sentimento básico de imensa falta de importância. Desenvolveu crenças e comportamentos perfeccionistas para compensar a sensação de desvalor e, em seus relacionamentos, tinha crises incríveis de ciúme, ao sentir que a companheira não atendia a alguma de suas expectativas. Chegava a ponto de, ao sentir a namorada meio pensativa e introspectiva, já entrar em delírios de traição, abandono, desvalorização, fazendo cobranças infundadas e causando discussões por conta desses delírios.

O trabalho com esse homem foi rever os decretos, as crenças e as conclusões fatais que criou inconscientemente, revendo fatos frustrantes da infância, compreendendo e perdoando seu pai até perceber que, apesar da austeridade e de nunca lhe ter dito *eu te amo*, ele tinha outras formas de demonstrar seu amor e carinho. E, é claro, ele precisou rever atitudes para poder suprir toda a carência afetiva que carrega dentro de si mesmo.

Outra cliente me procurou por causa de um quadro severo de depressão e crises de ciúmes, que, segundo ela, o marido já não suportava mais.

Livia era a caçula e tinha mais duas irmãs. Desde sempre se sentiu diferente, como se fosse inferior; sentia que a mãe a rejeitava e gostava mais das outras filhas. Fisicamente também se sentia diferente da mãe e das irmãs, e tinha suas razões para duvidar de que não era filha legítima do pai. Cresceu sentindo-se fraquinha, feia e com padrões de crenças de que precisava agradar muito a todos para se sentir aceita; sempre achou que tinha de ser certinha, supercomportada, adequada etc. Seu primeiro namorado, de quem Livia gostava muito, acabou tendo um caso com outra garota e rompeu o namoro; depois de um tempo, ele voltou mostrando-se arrependido e ciente de que tudo não tinha passado de uma aventura boba, dizendo que a amava e queria retomar o relacionamento. Ela o amava muito, mas por uma questão de orgulho e ressentimento, não o quis. Conheceu o segundo namorado, que veio a ser seu marido, e, desde o início do relacionamento, sempre demonstrou um ciúme excessivo por ele.

O ciúme para ela era uma espécie de controle sobre as ações do marido, porque, em sua cabeça, se não o controlasse, poderia vir a ser rejeitada novamente, como tinha acontecido com o primeiro namorado. O ciúme também escondia a raiva que Livia tinha de mulheres que ela julgava serem mais bonitas que ela, ou mais sensuais. Livia não se achava bonita e sempre teve medo de mostrar sua sensualidade. O ciúme mostra como sua autoestima é baixa, pois, apesar de saber o quanto o marido gostava dela, lá no fundo não acreditava, porque ela mesma se achava uma coisa ruim, pois essa é a sensação que sempre esteve dentro dela. O ciúme também representa o quanto ela se controlou o tempo todo em suas fantasias, não se permitindo nenhum pensamento, nenhuma sensação que tivesse relação com admiração ou atração por outro homem; logo, de tanto se controlar, projeta tudo isso no marido: *Ele sim é que sente e faz.*

Quanto às ideias de controle, vive querendo controlar o marido com a seguinte expectativa: *ele tem de fazer tudo do jeito que quero para eu me sentir bem e segura.* Com isso, invade a liberdade dele, querendo moldá-lo. Em seu inconsciente acha justo, porque é o que fez o tempo todo, consigo mesma, desde a mais tenra infância, tentando se moldar à mãe, às pessoas e depois ao primeiro namorado e ao seu ideal perfeccionista.

Por outro lado, o marido não é vítima. Ele finge que faz o que ela quer, porém é crítico, o que a magoa; cobra nas entrelinhas, só que precisa da direção dela em tudo, porque se sente inferior a ela, não sabe decidir e não tem iniciativa, logo precisa dela. Ela tem curso superior e ele não, ela tem um salário maior que o dele, por essa razão sua sensação de inferioridade e carência dos conselhos dela.

Eles fazem o jogo neurótico, onde um atende à neurose do outro; ele atendendo ao que ela exige e ela dando o apoio e direção (no fundo para agredi-lo e para se sentir segura), uma vez que também depende dele emocionalmente, para não vir a se sentir *rejeitada*, e com isso, evitando a sensação que é o pano de fundo emocional, ou seja, de ser uma perfeita porcaria, algo sem valor.

Outra raiz de seu ciúme é: ela podou sua liberdade de ser feliz porque amava o primeiro namorado; deixou-se levar pelo ressentimento, sacrificou-se pelo segundo, agora seu marido, à medida que negou o que a faria feliz. Em sua cabeça, é justo ele não ter liberdade (controla o comportamento dele com esse intuito inconsciente), é uma espécie de vingança; sentiu-se injustiçada por ter sido rejeitada pelo primeiro namorado, casou e deixou-se levar, causando a contenção de sua natureza verdadeira, sua alegria e seu entusiasmo; colocou tudo isso sob ordens rígidas e regras como ter de ser uma boa esposa, boa mãe, e enterrou-se no trabalho. Tudo isso gerou um quadro de depressão, ou seja, a alma ou natureza verdadeira cobrando o preço enorme que ela pagou para se conter, a fim de ter como garantia ser amada e aceita.

Quanto ao marido, em seu histórico emocional sempre se sentiu rejeitado e injustiçado pelo pai, o que gerou uma estima também muito baixa; por conta disso, quer um ponto de apoio e tem Livia como sua segurança porque a vê mais forte e superior a ele; o fato de ela ter se casado com ele funcionou como uma compensação; afinal, ele se sentia inferior; em contrapartida, como a relação era dominada e controlada por ela, ele se vingava criticando suas ideias, as roupas que ela usava, não a levando para passear quando ela queria, com a desculpa do ciúme; dentro dessa neurose, ele exerceu um controle podador e vingativo, e ela, ao brigar, reforçava nele a sua baixa autoestima.

Aqui se vê como um relacionamento pode ser extremamente neurótico. A família toda sofre muito por conta das brigas, agressões verbais ou não verbais, tudo para preservar os problemas emocionais dentro de cada um, e que precisariam ser resolvidos individualmente, com mais responsabilidade pessoal. Cada um elege o outro como o supridor de si mesmo, com isso se faz infeliz e se abandona; o outro, de certa forma, faz a mesma coisa e assim está, então, instalada a neurose conjugal e familiar.

Imagine o exemplo que esse casal passará aos filhos, mesmo que as brigas não sejam ostensivas, uma vez que as crianças absorvem muito mais o que se passa nas entrelinhas do que por meio do comportamento abertamente expresso.

Outrossim, seria interessante que os casais pensassem seriamente no modelo que estão transmitindo. Há relacionamentos sem nenhum modelo afetivo, em que os filhos imaginam que os pais tiveram uma relação sexual somente para concebê-los, e que isso nunca mais aconteceu. Não veem uma troca afetiva, não sentem os pais felizes, pelo contrário, veem somente expressões amarradas e iradas. E com toda essa realidade ainda existem casais que não querem se separar por causa dos filhos. Absurdo isso. Se não estão transmitindo um modelo de vida feliz! Jogar a responsabilidade de uma não separação nos filhos é usá-los, e acredito que eles não merecem esse peso, uma vez que não têm responsabilidade sobre o desacerto dos pais.

Há pesquisas muito interessantes que mostram que é mais nutritivo para os filhos terem pais separados, porém serenos, equilibrados, do que pais casados, mas estressados, desequilibrados, tristes e infelizes.

**Reflita:** não subestime a perspicácia de seus filhos. Eles sentem o que está acontecendo, mesmo que nada esteja sendo dito, mesmo que não haja discussões explícitas.

## Conceito de paixão x amor

Amor é um estado de consciência onde não existem ilusões e carências. É o ponto de contato com a essência; é um estado de pureza, de clareza. O amor implica respeitar e aceitar o outro, exatamente como ele é, sem mudar nada. Costumo sempre perguntar aos clientes com problemas de relacionamento: *Quanto você o aceita, assim como é, sem ter de mudar nada?* Se a pessoa responde acima de sessenta por cento, acho mesmo que ela o ama; quando responde que só aceitaria se o outro mudasse, afirmo então que ela não o ama, precisa de alguém que seja o que ela quer para se sentir bem e aceita.

Na verdade, amar e respeitar alguém significa uma extensão do seu próprio amor e respeito consigo mesmo. Respeito e valorização acabam sendo mais importantes do que o amor, uma vez que, por conta da interpretação errônea do conceito de amor, as pessoas abusam, cobram e podam os seres que elas dizem amar. O conceito de respeito é a aceitação do outro como é. Claro que não há a obrigatoriedade de ser conivente com o que você não concorda ou não gosta. Assim, aceitar não significa ser conformado, nem passivo ou submisso, mas sim perceber o outro como ele é, com a consciência de que a mudança dele não depende do controle que você possa exercer, mesmo porque não temos controle sobre o que está fora de nós. Aceitar o outro como é implica no fato de que a outra pessoa não é você e que ela tem suas próprias características individuais, senão não seria ela, mas sim uma extensão de você, não é mesmo?

**Reflita:** o quanto você aceita seu cônjuge, seus filhos assim como são, sem mudar nada?

\* \* \*

Ninguém nunca será aquele ideal exato que temos na cabeça, como já dito anteriormente. E o que aconteceu com a paixão inicial? Acabou? Desmoronou quando as pessoas se conheceram verdadeiramente?

Paixão é aquela emoção que faz as pessoas sofrerem antes, durante e depois do encontro com o outro. Sofrem antes, porque não têm certeza se já conquistaram; sofrem durante, porque têm medo de perder e sofrem depois, porque perderam e se sentiram vazias e rejeitadas. E, na maioria das vezes, as pessoas perdem o objeto da paixão, porque perdem a individualidade ao tentarem viver somente pensando no outro por quem estão apaixonadas. Esse é o verdadeiro processo de sofrimento da alma, que se sente mal quando a pessoa investe na perda de identidade para ser a extensão do objeto da paixão.

A paixão significa que o outro é um espelho e cada um vê o que tem e não reconhece em si; são as virtudes que não vê ou não aceita em si mesmo e projeta no outro. Podemos nos apaixonar pelas partes ou qualidades de alguém, então queremos o que é nosso e o que projetamos no outro. Num estado de paixão não se consegue ver o rosto da pessoa, o que se vê são os traços que projetamos. Quando gostamos de fato, vemos nitidamente como o outro é e o aceitamos, e esse sentimento identifica o amor verdadeiro. A projeção é uma característica que perturba. Tudo o que alguém recalca em si tenderá a ver nos outros, sejam aspectos positivos ou negativos; portanto, o outro é sempre o espelho onde esse alguém se vê. Assim, é sempre muito importante trabalhar em nós o que nos irrita no outro, mesmo porque aquela característica que o outro tem, ou uma determinada forma de agir que odiamos e que nos tira do sério, reflete algo de parecido que fazemos. Não é que devemos fazer a mesma coisa que o outro faz, mas sim que atuamos conosco da mesma forma. Por exemplo, alguém odeia quando sente que o outro mente ou é falso. Analisemos: cada um é como é e tem os próprios motivos emocionais para ser assim. Logo, se alguém se incomoda com isso, é porque age da mesma forma, no caso, a pessoa em questão mente para si mesma e é falsa consigo mesma, por exemplo, fazendo e expressando coisas diferentes do que sente, agindo para agradar e não sendo ela mesma, sincera e espontânea. Tudo que realmente nos incomoda demasiadamente nas pessoas à nossa volta reflete o que fazemos dentro de nós mesmos. E, por mais incrível que possa parecer, os nossos grandes espelhos são decididamente o companheiro e os filhos.

Podemos recalcar sentimentos e espontaneidade, e isso é projetado. Por exemplo, a liberdade que o outro se dá me faz mal, porque me faz ver a minha prisão, o que acaba sendo expresso como ciúmes.

A raiva recalcada gera medo e a impressão de que algo de terrível está sempre para acontecer, pois a pessoa tem medo da própria raiva. A pessoa que tem a crença de que tem de ser boazinha acaba recalcando sua raiva, o que vira autoagressão e logo fará a pessoa ter medo de tudo, ser contida e reprimida; seria interessante perceber que essa energia, quando não é recalcada, transforma-se em força e dignidade, ou seja, autoconfiança.

No livro *É tempo de mudança* foi abordado o significado da raiva e como transformar essa energia em autoconfiança.

Quando recalcamos a raiva, por medo de aceitá-la e usá-la corretamente, tornamo-nos seres frágeis e manipulados.

Enfim, voltando à paixão, é evidente que essa emoção pode se transformar em sentimento verdadeiro, e isso ocorre quando se aceita a pessoa como ela é, e se consegue admirá-la, mesmo que diferente do nosso jeito.

Pode acontecer também o contrário, ou seja, um belo dia você olha para a pessoa que está ao seu lado e se pergunta o que viu nela que lhe chamou a atenção. É nesse momento que você se resgata por meio do outro ou acorda para si mesmo e percebe que o que parecia um amor intenso, não passa de amizade ou de uma vontade de nunca mais ver a pessoa na sua frente.

O ideal é que antes de se apaixonar por alguém, você se apaixonasse por si mesmo, por seus ideais, por suas metas, por Deus e pela vida dentro de si mesmo. Daí, estaria mais inteiro para gostar verdadeiramente de alguém, sem o sofrimento de uma paixão.

De qualquer forma, todo mundo acha que é muito bom estar apaixonado, pelo menos por algum tempo. Quando nos apaixonamos parece que o mundo fica mais cor-de-rosa, tudo fica mais bonito e interessante, e então passamos a nos produzir mais, a nos movimentar mais, a nos interessar pelas coisas etc. E fazemos tudo isso porque o objeto da paixão é o grande estímulo.

**Reflita:** quem faz tudo, o objeto da paixão ou o apaixonado? O apaixonado, com certeza. É bom perceber isso para que você sinta quanta capacidade e potencial você tem dentro de si mesmo, e que é investido *somente quando* você se apaixona. Que tal começar a usar tudo isso para si mesmo, apaixonando-se por seus ideais, criando metas positivas, atuando mais por si mesmo, com todo estímulo e paixão? Paixão e entusiasmo são energias que vêm do chacra básico e estão relacionados à espontaneidade da alma, da natureza em si mesmo. Com certeza, se e quando você der vazão à sua espontaneidade, estará numa vibração tão boa que será alvo de atenção, e, nesse momento, *aquela pessoa* que estará vibrando na mesma sintonia, vai se aproximar de você e haverá um encontro interessante e um provável relacionamento mais saudável.

Enfim, consideremos os fatores que costumam atrair uma pessoa para a outra:

- **Reencontro.** Podemos reencontrar uma pessoa que foi importante para nós em outra vida, e essa sensação não se explica, sente-se. Sabe aquela pessoa que você encontra, nem conversou ainda, nem foi apresentado, mas que lhe parece muito familiar? E você a acha simpática e se sente atraído de imediato? Claro que não precisa ser um conteúdo afetivo-sexual, pode ser fraternal. Mas normalmente é uma coisa gostosa de sentir. É o chamado *love at first sight*, amor à primeira vista, que, na verdade, é bem mais antigo do que se pode imaginar.
- **Afinidades.** Podemos sentir afinidade por determinada pessoa, porque ela pensa do mesmo jeito que nós, gosta de coisas parecidas ou tem as mesmas opiniões.
- **Projeções positivas.** É a admiração. Tendemos a admirar e idolatrar no outro o que temos em nós e não

percebemos; são as nossas virtudes ou a manifestação de nossa natureza verdadeira, que, eventualmente, não temos consciência, mas que *enxergamos* no outro, via paixão e idolatria e que, frequentemente, são as virtudes que não aceitamos ou reconhecemos em nós. Apaixonamo-nos pelas partes ou qualidades de alguém e a tendência é querermos integrar em nós aquilo que é nosso no outro. Como foi dito, no estado de paixão não vemos a pessoa de fato, o que vemos são os nossos traços ali projetados. Quando gostamos de fato, vemos nitidamente como o outro é.

- **Complementaridade.** Vemos na outra pessoa características tão opostas às nossas que acabam sendo complementares. Por exemplo, uma pessoa bem reservada apaixonar-se por alguém bem saltitante, falante e extrovertido, o que, no caso, é um complemento, como um lado talvez não explorado por parte da pessoa reservada, talvez até por medo de se expor. Ou também uma pessoa bem *yang* gostar de uma bem *ying*, ambos complementando-se. A tendência é que o relacionamento iniciado por complementaridade seja mais harmônico e duradouro do que o iniciado por projeção.

- **Osmose.** São aqueles relacionamentos que iniciam depois de um longo processo de amizade, onde parece que nem um nem outro está a fim de se arriscar, e o mais prático é ficar com a pessoa que tem ao lado; afinal, ela tem algumas qualidades interessantes. Já vi muitos relacionamentos assim perdurarem, sem serem necessariamente intensos. E continuam mais por uma questão de comodismo. E existem também aqueles que começam assim e com o decorrer do tempo, acabam se transformando em relacionamentos com trocas excelentes e com muito amor e respeito.

O quesito paixão merece muita reflexão por parte das pessoas que acham que se não estiverem apaixonadas, com aquela intensidade incrível, a vida não tem graça. É preciso ter cuidado, pois, na maioria das vezes, essas são pessoas com autoestima muito baixa, que por meio da sedução usam o objeto da paixão como ponto de referência, apenas para se perceberem. Como se costuma dizer *pulam de galho em galho*, nada as satisfaz profundamente, sentem medo de se doar sincera e profundamente, porque não se conhecem e podem fazer uma confusão muito grande quando relacionam amor à prisão ou relacionamento à quebra de máscaras. Como não se conhecem, também não querem que o outro as conheça, não sabem o que pode acontecer a partir de um relacionamento, ou o que quer que interpretem que um relacionamento seja. Costumam ser pessoas superficiais.

Acredito até que muitos leitores poderão questionar: *E se a personalidade da pessoa é essa?* A resposta é:

**Reflita**: todos os comportamentos, modos de agir que fazem parte de nossa natureza verdadeira, nos fazem bem. Tenho visto que pessoas assim, que gostam de viver sempre apaixonadas, e eu as nomeio estilo Dom Juan, são internamente bem infelizes. Logo, a conclusão é: se alguém faz ou vivencia algo de determinada forma, e o resultado não é alegria, conforto e bem-estar, então o comportamento, ou maneira de agir não faz parte da natureza verdadeira. É ego, é comportamento defensivo, fuga de si mesmo.

A maneira de agir e ser nesse momento o faz feliz, íntegro, e lhe traz bem-estar? Se a resposta for não, repense, essas ações não refletem sua natureza e sim são comportamentos aprendidos, decretos de sobrevivência! Busque a mudança de atitude até sentir que o resultado, em termos de sensações internas, é bom, confortável, criando bem-estar e harmonia.

## Jogo de expectativas e cobranças

O ato de criar expectativas significa dar poder ao outro. Quando criamos expectativas negamos nossa capacidade de agir, de pensar e sentir por nós mesmos. E isso causa insegurança, instabilidade e sensação de vazio.

O jogo de expectativas tem uma raiz básica na seguinte crença: *Tenho de atender às expectativas dos outros para ser amado, aceito e valorizado*. Significa que um dia o indivíduo introjetou a ideia ou sensação de que não podia ser ele mesmo, teria de ser o que a família e as pessoas à sua volta esperavam que ele fosse. Falei bastante sobre essas crenças no livro *Em busca da cura emocional*, e de como é importante rever esses decretos para tirar a validade das conclusões errôneas que um dia introjetamos.

Uma vez que só seremos valorizados, amados e aceitos se estivermos vibrando amor, aceitação e valorização; logo a responsabilidade de criar expectativas é totalmente nossa. E a frustração que se segue às expectativas não correspondidas também é de nossa inteira responsabilidade.

O jogo de expectativas atrapalha muito um relacionamento, uma vez que os parceiros acabam se sacrificando um pelo outro e ficam frustrados porque o outro não faz o sacrifício de retorno que esperavam.

Lembre-se da sequência:

Sacrifício gera expectativas (é defesa psicológica),

Que gera frustração,

Que gera cobranças,

Que geram as brigas.

Sei que é difícil não criar expectativas. Então, comece revendo atitudes que soam internamente como sacrifícios; ou você age pelo coração e vontade verdadeira ou não faz nada; isso por si só já fará diminuir o nível de expectativas e consequentes frustrações.

Quando criamos sacrifícios e as consequentes expectativas, estamos afastados de nossa natureza ou essência. É importante assumir que cada um é um e tem seu próprio jeito de pensar, de ser, de se expressar etc. Lembre-se de que o elemento importante num relacionamento é o que atraiu uma pessoa para a outra, pois naquele momento você estava sendo mais verdadeiro, logo não estava criando expectativas, certo?

A outra pessoa não é obrigada a ser o que você quer, ou pensar do seu jeito, e você tem o mesmo direito.

Criar expectativas gera ansiedade, é como se você ficasse na mão do outro, esperando algo que não controla nem sabe se virá, daí advém a ansiedade e a enorme sensação de insegurança. E por quê? Porque você não se segura em si mesmo, em seus próprios conteúdos, e fica tentando se apoiar no que acha que talvez venha ou não da parte do outro. Quer situação mais ansiosa, insegura e angustiante? Contudo, foi você mesmo que a criou!

Pense nisso! Equilibre suas expectativas, reveja seus sacrifícios, faça valer sua espontaneidade, agindo pelo coração. O que acontece, então? Você precisa lidar com a verdade. Verdade atrai verdade. O relacionamento só ganhará com isso, com verdade e espontaneidade, e, se por acaso, não aguentar a verdade e a espontaneidade, é porque não era saudável, e foi bom ter acabado.

Sei que existem pessoas que adoram pensar. Assim, não criar expectativas para elas é muito difícil. Para essas pessoas, sugiro que procurem equilibrar as expectativas. Quando se pegar esperando demais, procure refletir que as possibilidades de você ser atendido são exatamente iguais às de não ser atendido. Assim, pondere: Por que esperar? Procure perceber o seu campo de ação, e se der para ir atuando de alguma forma na direção daquilo que espera e quer, faça-o já e por si mesmo. Se for atendido, ótimo; se não for, tudo bem, porque não ficou parado, já fez a sua parte e não perdeu tempo. E, da próxima vez, já que percebeu que pode agir por si mesmo, só aja se seu coração concordar, senão, não faça nada que lhe pareça sacrifício.

A seguir, algumas posturas e crenças que embutem expectativas, autocobranças e significam sacrifícios extremamente comuns. Já foram mencionadas anteriormente, mas não custa reforçar a fim de que você procure analisar cada atitude para perceber como age contra sua natureza verdadeira, e não pondera como vai se sentir agindo dessa forma. São crenças introjetadas que impõem comportamentos que se tornam hábitos, e que, em nenhum momento, a pessoa para e reflete se geram satisfação, se são passíveis de realização ou não.

- Tenho de ser legal, tenho de ser bonzinho (autocobrança e expectativa para que o outro também me ache legal e seja bonzinho comigo).
- Tenho de corresponder às expectativas dos outros, tenho de agradar a todos (autocobrança com o objetivo subliminar para que me considerem e me agradem).
- Tenho de ser perfeito (cobrança extremamente absurda com o objetivo subliminar: assim ele me reconhecerá como bom, exemplar e me dará valor).
- Todo mundo tem de ser como eu e fazer o que eu faço (cobrança e tentativa de projeção, que terá como consequência uma frustração enorme e a sensação de que o mundo é injusto).
- Tenho de fazê-lo feliz (objetivo subliminar: assim, ele também me fará feliz).
- Não tem problema que eu me desagrade, o importante é servir. Afinal, não custa nada (obrigação e autoanulação, crença da pessoa que aprendeu que tem de se sacrificar pelo outro, sem levar em conta a dose de sacrifício e frustração que isso lhe traz).
- Mãe é para essas coisas: a mãe tem de harmonizar a família (crença perfeccionista e absurda, uma vez que a harmonia familiar não é responsabilidade de um só).

- Se eu tenho de fazer você feliz, então me dou o direito de brigar com você, quando você não faz o que eu espero (autocobrança, sacrifício que gera cobrança para com o outro).
- Se eu tenho de adivinhar o que ele quer, então ele tem de saber o que eu quero, pela *cara* que faço (jogo do troca-troca, cobrança e expectativa).
- Como é que vou lhe dar liberdade, se ele é a minha razão de viver (insegurança e dependência emocional)?
- Se eu lhe der liberdade, ele me troca pela primeira que encontrar (insegurança, autoestima baixa, sentimento de desvalor).
- Eu sei cuidar bem da minha liberdade, porque confio em mim, mas não confio nele (neurose de controle, autoestima baixa).

Sacrificar-se pelo outro significa a tentativa de assumir controle pelo que não pode ser controlado, ou seja, o conteúdo interno do outro, que só está às ordens dele mesmo e não de você. Criar expectativas é ficar cultivando a ansiedade e a dúvida, se a tentativa de controle dará certo ou será em vão. Veja em que conflito cruel você se coloca. O que fazer? Comece aceitando seu limite real: você não controla nada fora de si mesmo. Logo, largue o controle! Fique com sua vontade e perceba seu real campo de ação! Se já vive angustiado por conta desse comportamento, você não tem nada a perder ao experimentar ficar em contato consigo mesmo e agir espontaneamente. Por que não? Experimente!

## Timidez e dificuldade de expressão

O significado de tímido é acanhado, fraco, frouxo, temeroso, inseguro e pouco autoconfiante. No geral, significa que o indivíduo tem medo de se expor e não sente que tem força ou competência para se expressar e ir atrás dos seus interesses ou da satisfação de suas vontades. Assim, já podemos perceber como o tímido é um indivíduo basicamente frustrado, pois não dá vazão às suas vontades, seus interesses e ímpetos.

Pode-se dizer que a timidez e a dificuldade de expressão estão relacionadas; porém, é fato que nem todos com dificuldade de se expressar são tímidos. O quadro de timidez pode ter raízes em um tipo de formação, como por exemplo:

- Formação muito austera e perfeccionista: o resultado geralmente é um indivíduo que acha que tem de ser muito correto e perfeccionista. Dentro disso, aprende a ser tímido; afinal, se ficar exposto pode correr o risco de errar e ser alvo de críticas, o que é terrível para o perfeccionista.

- Formação muito protecionista, onde a família protegeu e poupou tanto, que acabou formando um indivíduo com uma tremenda sensação de incapacidade e insegurança. Assim, a timidez é o resultado, uma vez que esse indivíduo nem se atreve a ir atrás das coisas. Ousar perguntar algo, por exemplo, pode ser tão desconfortável, que prefere ficar em dúvida, triste e frustrado, mas não se arriscará de modo algum, porque não confia em si mesmo, e assim, não se autoriza nem a tentar

- Formação com a presença de brigas e hostilidade. Esse quadro pode ter gerado tanto medo e ansiedade, que o não falar, e, por consequência, a timidez, pode ter sido uma conclusão: *é melhor ficar quieto, para não dar margem a um barulho maior.* Nesses meios, a criança pode associar o ficar quieto e não falar, à vontade de parar uma briga, e acaba adotando essa associação como forma comportamental.

- Eventualmente, o tímido pode ter sido simplesmente reprimido, mediante colocações como: *não fale nada, senão apanha; em boca fechada não entra mosquito, ou seja, não arranja encrenca; calado, porque senão o papai do céu vai ficar triste com você* (aliás, essa frase é o suprassumo da falta de bom senso, pois passa a ideia de um Deus irado, julgador e tirano); *menina bonita não fala, fica quietinha* (aqui temos um elogio associado à poda e cobrança subliminar); *menino forte não chora e não fala bobagem, certo?* (idem).

- Famílias com *status* social precário, menos favorecidas, costumam gerar pessoas com sentimentos de inferioridade, e a timidez é uma boa maneira de se esconder e passar despercebido, por conta do complexo de inferioridade.

- Modelo referencial primário: o indivíduo se identificou com alguém que era tímido e fechado, e adotou esse modelo de expressão.

Enfim, independentemente das raízes da timidez, o fato é que o tímido é alguém frustrado, que tem muita dificuldade de se expressar e, consequentemente, de se expandir na vida.

Não confunda tímido com reservado ou discreto. Alguém pode ser reservado, e eu particularmente acho que é interessante ser reservado e discreto. Reserva ou discrição é quando observamos o ambiente, as pessoas à nossa volta, e escolhemos uma forma de ação que seja interessante para nós, de acordo com aquele meio que nos rodeia. Por exemplo, alguém é convidado para um evento em que não conhece ninguém. O ideal é que chegue ao local vestido adequadamente, procure quem o convidou, espere ser apresentado às pessoas que ali estão, e comece a conversar naturalmente. Imagine se essa pessoa for vestida diferente do que pede a ocasião e entrar falando alto, colocando-se muito à vontade, tropeçando no anfitrião e nos convidados; enfim, aquela pessoa *perua*! Provavelmente ela vai passar por uma situação ridícula e poderá até ser *colocada para fora* por conta do seu mau comportamento. Logo, ser reservado e discreto é uma atitude inteligente, com certeza. Nesse caso, por exemplo, alguém realmente tímido talvez nem se atrevesse a ir, muito menos sozinho.

O tímido costuma ser um *superego ambulante*, pois tem a ilusão de que todos estão olhando para ele, e na sua impressão ele não pode errar, precisa passar despercebido, não notado, porque corre o risco de alguém criticá-lo ou achar algo de errado nele. Há pessoas que ficam extremamente sem graça e nervosas se estiverem conversando com um amigo e este faz alguma pergunta que alguém por perto ouviu. Elas se sentem desnudas, como se estivessem totalmente vulneráveis ao *olhar crítico do outro*. Veja que o olhar do outro não é crítico, é somente um olhar; o *crítico* é por conta da vulnerabilidade do tímido. Dar risada em alto e bom som, nem pensar; o tímido ri para dentro; afinal, pode ficar em evidência com essa atitude.

Para trabalhar a timidez, é necessário que a pessoa tome conhecimento de suas raízes emocionais, e se fortaleça para ser o indivíduo verdadeiro que está por baixo da capa de tímido. Podemos definir a timidez como uma alta dose de orgulho. Sim, porque se o tímido tivesse a garantia de que iria ser aceito, compreendido, aprovado e valorizado, independentemente do que dissesse ou fizesse, ele iria se expor. Imagine você, tímido, ser convidado para um karaokê. Por mais que adore cantar, duvido que aceitasse o convite. Mas se houvesse a possibilidade de ter a total garantia de que você cantaria superbem e de que todos adorariam e aplaudiriam, aposto que aceitaria cantar. O orgulho aqui referido é aquela postura vaidosa de *ter de ser o mais lindo, adorável, certinho, amado etc.*, sobrepujando a espontaneidade e o ser natural que cada um é.

Como é importante termos claro em nossa mente que somos indivíduos, *um* diferente do *outro*, portanto, *únicos*. Se você aprender a se sentir bem com o que você realmente é, isso significará aceitação, valorização e amor incondicional, que é o que você deve começar a trabalhar e suprir por si mesmo. Dessa forma, perceberá que o mundo vai valorizá-lo também, naturalmente! Afinal, lembra-se da lei: *o mundo me trata como eu me trato?* É uma lei importantíssima: semelhante atrai semelhante, e realmente funciona.

Nos relacionamentos, a timidez atrapalha bastante. É muito comum o indivíduo se fechar e não falar o que sente, o que o incomoda. Com isso, o tímido é um forte candidato a doenças psicossomáticas, pois tenderá a segurar tudo o que sente e originará sintomas como angústia, depressão, ansiedade, dores no corpo, tensões, problemas cardíacos, estomacais, prisão de ventre, problemas intestinais, dentre os mais comuns.

É importante que a pessoa tímida perceba que não existe timidez em estado natural, o que existe é um comportamento reservado, como descrito. Logo, timidez faz mal, principalmente para o tímido. Se você é uma pessoa tímida, procure ajuda para aprender a se conhecer melhor, a se soltar e a trabalhar sua coragem de ser você mesmo.

Há várias formas de se trabalhar a timidez, pela psicoterapia, incluindo hipnose e métodos de expressão corporal, bioenergética e biodança.

Como sou facilitadora de biodança, considero a técnica uma das mais ricas e rápidas para trabalhar a timidez e facilitar a capacidade de expressão em todos os níveis, como: sexualidade, afetividade, criatividade, vitalidade e transcendência; enfim, a pessoa aprende a expressar verdadeiramente o que é e como se sente, melhorando a relação consigo mesma e com as pessoas à sua volta.

O tímido é uma pessoa contida por excelência e, eventualmente, pode atrair em seus relacionamentos alguém bem oposto, pois isso facilita as coisas. É sempre o outro que tomará a iniciativa e facilitará seu caminho, e o tímido viverá à sua sombra, o que é terrível, não é mesmo? Pode também atrair alguém mais tímido que ele, e isso será a glória, porque terá encontrado uma pessoa ainda mais contida e, assim, ele vai se sentir bem.

Ser tímido é ruim, tanto para a pessoa como para quem convive com ela.

No relacionamento, o aspecto mais prejudicado por alguém tímido e contido é o sexual. Se para o tímido é difícil tomar iniciativas e falar sobre as coisas mais corriqueiras, imagine se expor e falar do que sente ou quer sexualmente.

Assim, a dificuldade de expressão, seja falando ou agindo, é um aspecto que prejudica e muito um relacionamento. O tímido pode ser alvo de tirania e abusos, e, o que é pior, não falará nem se expressará por conta de sua dificuldade.

Uma dica interessante é trabalhar a ansiedade perante o medo de se expor.

**Reflita:** o que pode acontecer de bem terrível se falar e se expuser? Confronte o seu medo e sinta. Se o mais terrível é ser alvo de críticas, pondere que você não controla a opinião de ninguém e todos têm o direito de pensar o que quiserem. Perceba que ao não se expor, você não tem nada, não ganha nada e já convive com uma imensa frustração. Assim, se tomar a iniciativa e fizer o que precisa ou tem interesse, você poderá contar com a possibilidade de uma satisfação. E essa atitude é muito positiva, pois imagine quantas situações frustrantes você, tímido, segura e engole, ao não se dar espaço para se arriscar e ir atrás de seus interesses e vontades. Nunca ninguém perderá em tentar algo, o máximo que acontecerá é ter um resultado bem diferente do que esperava; e isso não significa fracasso, erro ou incompetência, mas tão somente vivência, experiência que você ganhou e poderá contar no próximo passo ou tentativa. Outra coisa interessante para você pensar é que a energia gasta no medo é a mesma que você poderia usar na tentativa e no ganho que teria se estivesse predisposto a correr o risco.

**Reflita:** timidez tem cura, pois não faz parte de sua natureza verdadeira!

## Disputa e jogos de poder

Por mais incrível que possa parecer, as pessoas aprendem a chamar atenção para si mesmas também de forma negativa. Aprendem, desde muito cedo, a competir pela necessidade vital de chamar a atenção, para, com isso, receberem energia e se sentirem supridas. É verdade que todos nós queremos ser respeitados e amados; e pela formação que recebemos, não, necessariamente, aprendemos a forma correta de trocar energia e não brigar por esse recebimento.

Um exemplo de autoestima baixa na criança pequena é quando ela repete uma sequência de atitudes negativas e a família a espanca ou chama sua atenção, brigando ou gritando. A criança se sente mal, e, claro, isso somente reforça dentro dela a sensação de como ela não deve ser uma coisa boa. Como ela precisa de atenção, vai tentar agir de forma negativa, porque o conceito que tem de si mesma é negativo, e assim o ciclo se repete, como um cachorro que corre atrás do rabo. Se assim era quando pequena, quando adulta, a menos que amadureça emocionalmente, vai repetir o modelo comportamental com as pessoas que ama ou considera superiores.

Acabamos desenvolvendo os chamados *jogos de poder* para buscarmos atenção e suprimento de energia que nos fortalecem. Acontece que esses jogos são neuróticos. A seguir, os mais comuns:

**Jogo de poder pela crítica**: acontece quando alguém aprende a receber energia criticando o outro. Se o outro entrar na crítica e se sentir culpado, o primeiro recebe energia e fica fortalecido. O crítico é autocrítico e assim, projeta seu jeito de se tratar no ambiente, cobrando e criticando todo mundo, porque no fundo ele quer perfeição, porque se cobra ser perfeito e o que não é perfeito, segundo seus parâmetros, perturba-o. Quando a pessoa se sente criticada e entra na culpa, ela se desestabiliza e fica insegura, e isso soa como uma promessa para o crítico, do tipo: *Vou me redimir, prometo melhorar.* O crítico se sente apaziguado, reforçado e vai continuar sendo crítico, porque é suprido por esse comportamento passivo e culposo. Uma boa maneira de lidar com o crítico é deixar bem claro que você não concorda com a sua crítica e que tem a impressão de que ele quer que você se sinta culpado. Expresse que não se sente culpado, embora respeite a opinião dele. O importante é parar de reforçar e deixar o crítico com seu próprio conteúdo, pois, sem reforço e retroalimentação, ele terá forçosamente de olhar para os seus próprios vazios.

*Jogo de poder pelo vitimismo*: uma pessoa pode se sentir vítima, e em vez de tentar compreender sua forma de proceder na vida, pode usar do vitimismo para chamar a atenção dos outros. O *coitadinho* chama a atenção para si e todo mundo é capaz de supri-lo sentindo pena e dó. Espiritualmente, sabemos que ninguém carrega uma cruz maior do que pode carregar. Deus não é injusto, e a Lei da Ação e Reação é implacável e justa. Assim, uma situação pode ser um resgate, um acerto dentro da consciência maior da pessoa, assim, ela sofrerá situações que fazem parte do seu propósito de vida, de sua aprendizagem, uma vez que a alma é eterna e cada vida é um segundo perante essa eternidade. Não devemos sentir pena nem dó de ninguém, devemos sim é ter compaixão, que é a compreensão profunda de que tudo tem uma explicação a nível espiritual, e ninguém é vítima, pelo contrário, é um indivíduo importante perante a vida. Diante de uma situação triste ou difícil, seria muito interessante se perguntar: O *que eu preciso aprender com essa situação?*; *Que tipo de potencial e força eu preciso perceber e resgatar em mim numa situação como essa?* É interessante como a própria sociedade alimenta o *coitadinho de mim, a vítima*, reforçando a sensação do quanto a pessoa é digna de pena. Penso que somente ajudar não é correto, principalmente quando o ajudado se acomoda; nada contra a ajuda que é dada aos inválidos e doentes; de fato, porém o correto, como já foi dito, não é sair ajudando, mas ensinar a pessoa a melhorar, a aprender, senão ela será uma dependente eterna e se sentirá coitadinha, o que não é um sentimento digno; seria interessante ajudar as pessoas necessitadas e ensiná-las a aprender, a perceber que têm potenciais dentro delas que podem ser usados em seu próprio benefício. Vamos lembrar que ajuda demais soa como *jogar pérolas aos porcos*. Já ouvi histórias de mães e pais que resolveram ajudar um filho casado e com filhos que ficou desempregado. Ótimo, uma ajuda muito importante, só que depois de alguns anos o filho continuou acomodado e sem assumir responsabilidade nenhuma pela própria família; afinal, os pais continuavam a fazer tudo por ele. Aqui vemos um tipo de ajuda que gerou acomodação, protecionismo, tirou a responsabilidade do ajudado, que foi assumida pelos pais. Essa ajuda não é boa, pois prejudicou mais do que ajudou, foi além do necessário. Outrossim, pode-se dizer que a ajuda verdadeira é aquela por meio da qual a pessoa que ajuda se sente feliz e gratificada. Se a ajuda soar como sacrifício, é preferível não ajudar, porque, com essa atitude você não somente criará expectativas, como também uma vibração de desrespeito, atraindo a mesma coisa, até por parte da pessoa ajudada. Nos casos exemplificados, o filho achou que o pai era *ruim* quando lhe impôs limites. Ele queria continuar a ser vítima!

Quantas vezes ouvi desabafos de mulheres dizendo que ajudaram tanto a empregada, *coitadinha e vítima* e acabaram levando um *pontapé* no dia em que mais precisaram dela! Quantos comentários do tipo *nem obrigado me falou*, como se a ajuda tivesse de ser obrigatória! Quantas pessoas que batem à nossa porta e acham que somos *obrigados compulsoriamente* a ajudá-las! Cuidado com as vítimas, pois na maioria das vezes elas não querem assumir responsabilidade por si mesmas, e é realmente muito cômodo ter alguém que as banque, não é mesmo?

Enfim, uma boa maneira de lidar com a vítima é não entrar no jogo e deixar bem claro que você a respeita, porém não a considera coitada nem sente dó; procure expressar-lhe a certeza de que ela tem capacidades e potenciais para usar e evoluir.

*Jogo de poder pela superioridade ou inferioridade*: superior e inferior são interdependentes; o superior precisa ser paparicado e reconhecido por quem se sente inferior; por sua vez, o inferior precisa do superior para olhá-lo e cuidar dele como incapaz; é um jogo de egos que não se assumem verdadeiramente; o indivíduo considerado superior sempre recebe a energia de quem se considera inferior; e o inferior recebe energia do superior justamente porque se acha bem melhor que o outro e fará um favor se olhar para o inferior, mesmo sem assumir que adora esse endeusamento.

É necessário considerar que não há superior nem inferior. O que existe são condições diferentes. Alguém pode ter mais dinheiro, mais saúde, uma posição social superior, porém, na realidade, são diferenças sociais, de poder, *status* etc. Se você considera alguém superior a você, é porque está ajoelhado, colocando a pessoa no pedestal. Tire-a do pedestal, levante-se e nivele-se!

Comportar-se como inferior pode ser altamente interessante, pois sempre haverá aquela pessoa que tentará *ajudar ou salvar*, e aí a atenção será concedida, reforçando o comportamento. A pessoa que chega devagar, pois se sente um nada, uma porcaria, espera que alguém lhe diga: *Venha cá, tome isto ou aquilo*, facilitando as coisas, porque o inferior é incapaz de pedir algo – ele espera –, pois não se sente merecedor de coisas boas; assim não vai atrás delas. E quando não recebe nada de bom, dentro dele é reforçado o seu autoconceito de inferioridade.

**Reflita**: cada um está onde está, segundo o nível consciencial que tem no momento e de acordo com seu propósito de vida. Ao mudar o nível consciencial, pode-se mudar as condições exteriores em sua vida, porque semelhante atrai semelhante, essa é a lei das energias. Tenho visto muito isso nos processos de terapias individuais ou nos grupos que conduzo. À medida que alguém percebe o seu padrão de crenças, acaba modificando sua condição, uma vez que a vida sempre acaba dando os toques e empurrões evolutivos pela dor, que é a forma de fazer o indivíduo se perceber e se olhar com mais atenção.

Lembre-se de que a dor está comunicando: *Tem uma coisa aqui para a qual você precisa olhar melhor.*

A evolução pode acontecer pela dor, pela imitação ou pela observância das leis da vida. Sem dúvida, quando compreendemos essas leis, criamos a possibilidade de evolução pela inteligência e não pela dor. Mas a dor é a palavra de ordem da evolução da vida. Há informações de que os espíritos mais teimosos sofrem muito e cada vez mais até chegarem a um nível tão insuportável que vão pedir a intercessão de uma força maior que os livre do sofrimento; quando isso acontece, Deus, em sua infinita bondade, vai acolhê-los e dar-lhes instruções e amparo necessário para evoluírem e compreenderem os porquês de suas dores e sofrimentos. Isso é muito bom, pois sempre há o amparo, sempre haverá a ajuda que vêm à medida que nos abrimos e fazemos a nossa parte, pois a vida respeita o livre-arbítrio.

*Como lidar com o sujeito metido a superior*: não reforce, não o coloque no pedestal, ignore-o, saia pela tangente, e quando ele começar a se endeusar, mude de assunto.

*Como lidar com o inferior*: não facilite as coisas para ele, não dê se ele não pedir, e, num diálogo, procure expressar sua confiança no potencial que ele tem e que ainda não percebeu.

*Jogo de poder pelo distanciamento*: o distante é aquela pessoa que usa do distanciamento para receber a atenção das pessoas. O distante, o inacessível, é aquele sujeito, por exemplo, que nunca diz o que pensa; tirar dele uma opinião é um processo exaustivo, pois ele sempre deixa as pessoas à sua volta na dúvida. Ele nunca se posiciona, sempre usa formas de expressão, como: *amanhã eu vejo, depois eu penso, não sei, vamos ver.* Deixa literalmente as pessoas no vácuo, no vazio. O interrogatório que ele não responde acaba sendo a fonte de suprimento da qual necessita, pois é muito chato ser deixado no vácuo, sem uma resposta. Esse sujeito consegue mobilizar uma família inteira com o seu distanciamento; isso se a família for dependente dele. Uma pessoa assim consegue deixar todo mundo ansioso e inseguro, e isso é o máximo para ela. É claro que esse também é um comportamento aprendido, provavelmente *o distante* se sentiu ignorado pelo seu meio ambiente primário, não teve a atenção de que precisava e acabou desenvolvendo esse mecanismo; a vantagem disso é não se expor e ter as pessoas à sua volta dependendo dele, esperando por ele, atitude que reforça seu poder de manipulação.

*Como lidar com o distante*: tente se fazer independente dele, pergunte-lhe uma vez só, se não houver resposta, comunique que vai agir do seu jeito e que não dará espaço a comentários ou críticas posteriores, e aja mesmo. Na maioria das vezes, quando o distante percebe que está sendo deixado de lado, ele se aproxima.

*Jogo de poder pela intimidação*: o intimidador é aquele que ameaça pelo olhar ou outras atitudes, e acaba sendo suprido pelo medo que todos têm dele. O intimidador detém o poder que lhe é dado porque ao se sentir ameaçada, a pessoa se retrai e faz exatamente o que ele quer. É claro que se deixar intimidar acusa insegurança ou culpa por parte do intimidado. Logo, quem se sente intimidado deve procurar trabalhar isso, porque uma boa maneira de lidar com o intimidador é sentir-se seguro em sua maneira de ser e expressar o que sente. Se você se sente intimidado por alguém, procure não se deixar levar pela ameaça, e comunique claramente o quanto isso o desagrada e o deixa desconfortável.

Já ouvi histórias de ameaças como: *eu te mato, vou te estrangular, vou te largar*. Se houver a sensação real de que haverá uma agressão física, talvez não seja um bom negócio cutucar o leão com vara curta, não é? Agora, se estiver numa situação dessas, pergunte-se o que você fez para atrair tamanho desrespeito, procure uma terapia urgente para ajudá-lo a se fortalecer, faça um boletim de ocorrência policial, cuide-se, e na primeira oportunidade, caia fora da relação, porque não há nada mais terrível do que curtir uma ansiedade eterna por não poder se comportar espontaneamente, tendo de se policiar o tempo todo para satisfazer a um quase psicótico.

Contudo, na maioria das vezes o intimidador não ameaça ostensivamente. Ele faz ameaças subliminares do tipo: ignorar, fazer pouco caso, dar um chá de indiferença, fazendo você se sentir horrível, fora do prumo, ou olha daquela forma que faz você se sentir um lixinho podre. Rebata, procure sentir e ficar com a sua própria verdade. Eventualmente, você precisará de uma terapia como reforço para seu autoconhecimento, uma vez que quem se deixa intimidar teve um pai ou uma mãe com comportamento similar, gerando, com isso, cobranças perfeccionistas e baixa autoestima.

Na maioria das vezes, onde há um relacionamento há jogos de poder. Creio que a melhor forma de trabalhar isso é por meio do próprio conhecimento, crescimento e amadurecimento, pois, assim, a pessoa vai se sentir forte para perceber seus conteúdos e optar pela sua verdade e pelo seu sentir, sem se deixar levar pela crítica, cobrança ou quaisquer observações que possam vir de fora.

Uma dica: quando alguém chega até você e lhe faz críticas, não deixe nada disso entrar em você, pois a pessoa está falando de si mesma. Às vezes, é mais fácil ver o próprio defeito no outro do que admiti-lo em si mesmo. Por esse motivo, reforço a ideia de um diálogo ideal, que é expressar claramente o que se sente, sem criticar, ofender ou cobrar. Quando você critica, dá uma de mimado, é como se quisesse que o outro fosse uma extensão sua, que ele fizesse tudo do jeito que você quer e isso só significa uma coisa: tirania, que é outro jogo de poder, igual ao crítico ou intimidador.

*Jogo de poder pela culpa*: sentir-se culpado é também um jogo de poder, terrível, mas eficaz do ponto de vista de reforço de atenção. Quem se sente culpado acaba admirado, por incrível que pareça, ao reconhecer e assumir a culpa, que tem como raiz grandes momentos de ansiedade. Um exemplo é a criança que sentiu medo, depois raiva e, sem maturidade para lidar com isso, introjetou a ideia de culpa, ou seja, a criança sente raiva dos pais por conta de atitudes agressivas para com ela. Como a criança é concreta, sente vontade de destruí-los; só que, instintivamente, sabe que se fizer isso corre o risco de se destruir, pois depende deles para viver; isso gera um conflito interno que será solucionado assim: a raiva transforma-se em medo de abandono, solidão e morte, logo, a raiva tem de ser transformada por uma questão de sobrevivência; então a raiva vira culpa e esse sentimento acomete quem erra; e essa pessoa tem de ser punida. A autopunição pode transformar-se numa atitude autoagressiva, como roer unhas (literalmente a pessoa se come, não é mesmo?), ou numa autoestima baixa, onde a crença básica é: *Eu sou um erro, eu sou uma coisa ruim, e quem é ruim não merece nada de bom.* A culpa, então, acaba sendo um jogo para manter as pessoas por perto, para impedir o medo do abandono e a solidão.

*Jogo de poder pela fofoca*: a fofoca também é uma projeção e um jogo de poder. Quando se faz fofoca de alguém, o fofoqueiro está expressando sua inveja e vontade interna de fazer ou ser igual à pessoa de quem faz fofocas. No fundo, o fofoqueiro faz fofocas de quem admira, só que não percebe isso, é claro. E quando você fica a favor do fofoqueiro, concordando com ele e ajudando a aumentar a fofoca, você o reforça em sua neurose e ele ganha sua energia, manipulando-o, porque, é claro, você será o alvo dele em alguma fofoca futura.

A fofoca é um das coisas mais destrutivas para uma pessoa e para o ambiente em que ela convive. Se os fofoqueiros parassem um pouco para sentir, entrariam em contato com o vazio imenso que existe dentro deles e que aumenta depois de uma sessão de fofocas. Em vez de se perceber e suprir, o fofoqueiro está cada vez mais distante de si mesmo, com um comportamento julgador, onde apenas mostra sua própria carência, ignorância e falta de vontade em amadurecer, demonstrando ser uma criancinha, emocionalmente falando.

A fofoca é destrutiva porque não acrescenta nada de produtivo. Por meio dela são feitos comentários fúteis, que, na maioria das vezes, nem são verdadeiros. Quanto tempo se perde fazendo fofocas? Esse tempo seria mais bem utilizado numa leitura; num papo agradável, que acrescentasse informação e conhecimento; numa roda de amigos cantando, ou dançando, ou filosofando, ou assistindo a um filme interessante.

*Jogo de poder pelo agrado excessivo*: a tentativa de tentar agradar todo mundo também é um jogo de poder. Uma vez que, ao tentar agradar, o sujeito faz uma cena, se faz de bonzinho para chamar atenção sobre si mesmo, ter reconhecimento e ser aceito. Eventualmente, tem quem entre no jogo, quando, por sua vez, é carente e precisa também ser suprido. Ser um coitado, ou deficiente, ou difícil, são comportamentos que reforçam a personalidade de quem deseja agradar. A pessoa se torna pegajosa e age como um vampiro energético. Ela o agrada, só que você se sente desenergizado. Repare, pois sempre há pessoas chatinhas querendo agradá-lo. E o que fazer com elas? Coloque limites, mantenha distância. Não deixe o sujeito chegar muito perto, porque se ele tocá-lo, já estabeleceu o contato necessário para acoplar as *ventosas* que vampirizarão sua energia.

Como já explicado extensivamente no livro *Em busca da cura emocional*, as pessoas desenvolvem decretos de sobrevivência, ou seja, crenças do que devem ou não fazer, imagens de si mesmas, que são construídas a partir da formação recebida e do próprio conteúdo interno que o espírito traz. Nada é por acaso e ninguém é vítima. Contudo, como dizia Freud, temos a tendência de encontrar pessoas em futuros relacionamentos, que são extensões do pai ou da mãe, figuras do relacionamento primário e que servem para que amadureçamos. Ou seja, tendemos a nos casar com alguém que tem o jeito de ser parecido com o nosso pai ou com a nossa mãe. E é fato que um alimenta a neurose do outro.

Vejamos alguns exemplos.

## Caso um

### CARLA E SÍLVIO

Carla é a filha do meio, tem mais duas irmãs e recebeu uma formação bastante moralista, austera, porém carinhosa, com um bom modelo afetivo. A mãe é uma figura extremamente passiva e sempre se comporta a fim de agradar o marido (ele sempre conduz tudo e dá a última palavra). Carla sempre teve a impressão, passada pela mãe, de que agradar e ser certinha era a garantia de companhia, ou seja, agradar para não ficar sozinha e desamparada. Carla conheceu Sílvio na empresa em que trabalhava. Ele é bem mais velho que ela e separou-se da primeira esposa, com quem tem três filhos. Ele é o tipo de homem bastante machista. Vem de uma formação em que a mãe foi uma figura bastante austera, perfeccionista, muito cobradora e crítica. Sílvio absorveu muito desse comportamento e é o tipo perfeito; não pode errar de modo algum, e da mesma maneira que é autocobrador, é rígido, crítico e cobra muito das pessoas à sua volta. Aprendeu que precisava ser perfeito para poder atender à expectativa da mãe, e, como ela, aprendeu que ser crítico é uma boa maneira de intimidar o outro. Depois de alguns anos de namoro, Carla e Sílvio estão morando juntos. Sílvio é o tipo de companheiro que, embora carinhoso, usa do distanciamento como forma de punir Carla, cobra muita perfeição dela e usa a crítica como forma de ganhar sua atenção. Como Carla é passiva, igual à mãe, carente e acredita que *tem de* atender às expectativas do companheiro, acaba reforçando o modo de ser dele, pois não fala sobre o que sente e absorve todas as cobranças e críticas, e ainda se sente extremamente culpada por não ter atendido às expectativas perfeccionistas de Sílvio. Tudo isso acontece para evitar o medo de ser abandonada, pois, na sua cabeça, se não agradar o outro, ele vai embora e ela vai se sentir sozinha, desamparada e um lixo, claro.

Vemos que, com esses modelos, cada um reforça no outro o comportamento neurótico. Em terapia, Carla está trabalhando sua autoconfiança e segurança e sendo encorajada a expressar o que sente e a mostrar a Sílvio que nem sempre ele tem razão em suas críticas ou cobranças. A autoconfiança dela está em não se deixar atingir ou intimidar pelas cobranças e críticas dele, percebendo que esse é o jeito dele. Como sempre digo, ela não poderá mudá-lo, ele mudará quando quiser e se quiser; porém, ela vai mudá-lo indiretamente, ou seja, ele mudará o comportamento para com ela, na medida em que ela modificar suas atitudes passivas e desrespeitosas, posicionando-se diante dele, expressando que não se sente culpada, pois não pensa como ele.

## Caso dois

### Gisa – a ovelha negra

Gisa é uma moça de 26 anos, solteira. Seu pai é um sujeito emocionalmente inseguro, que foi rejeitado pela mãe e sofreu um desprezo inicial da atual esposa. Antes do namoro, ela o rejeitou e ele sabia que ela gostava de outro, mesmo assim insistiu tanto na sedução que, enfim, quando a conquistou, passou literalmente a esnobá-la. Para ele, o dinheiro sempre foi um ponto de grande segurança, pois podia comprar as pessoas, e por conta de sua excelente situação financeira, provar que era *bom*.

A mãe de Gisa é uma pessoa bastante insegura e teve uma formação na qual o modelo era ser certinha e adequada para que as pessoas à sua volta a valorizassem e aceitassem; ela também é o tipo que adora ser a apaziguadora, a harmonizadora, porque, em seu íntimo, morre de medo de brigas (o seu pai era briguento e encrenqueiro), e por conta da ansiedade gerada desdobra-se para evitar brigas e discussões.

Gisa é a filha mais velha. O pai, em sua neurose de rejeição, sempre usou a filha para causar ciúmes à esposa, essa é a maneira que arranjou para se vingar dela, por conta da rejeição inicial, que o deixou inseguro e desvalorizado. A filha, na realidade, tinha todas as atenções da esposa. A mãe sempre se sentiu culpada por ter rejeitado o marido inicialmente, e, por essa razão, aceitou a vingança do marido, tentando reconquistá-lo, só que sempre se sentindo rejeitada como mulher, com inveja e com ciúmes da filha (achava que a filha era melhor que ela como mulher). Com uma grande cobrança pessoal e frustrada, critica-se achando que não é a mãe ideal, uma vez que a filha é literalmente uma inimiga. Por conta disso, descarrega todo esse sentimento na filha, rejeitando-a também com críticas, não a defendendo e desvalorizando-a perante os amigos e a família.

Gisa, dentro dessa neurose toda, absorveu a cobrança do pai: para ser sustentada por ele e poder comprar tudo o que quisesse, teria de ser um gênio intelectual, estudar muito e tirar sempre nota dez. Absorveu da mãe, entretanto, a ideia de ser uma coisa sem valor, uma vez que, por conta do comportamento do pai, sempre teve a mãe como uma competidora. Depois da adolescência, o pai mudou o comportamento, deixando de agradá-la com presentes e atenções, como fazia antes, e passou a cobrar dela, cada vez mais, ser uma estudante que *tinha que dar certo*. Assim, ela sentia que o pai cobrava dela ser uma extensão dele mesmo. Na época, houve uma maior aproximação da mãe, porém num relacionamento falso, por conta da insegurança da mãe (afinal, para ela, a filha era uma competidora). Imaginem a autoestima de Gisa, totalmente confusa e, na maioria das vezes, sendo o pivô das brigas dos pais, ora um acusando e o outro defendendo, ora o contrário; às vezes, os dois criticando-a e cobrando, outras vezes, os dois distantes, sem falarem com ela.

Nessa história, o que acontece é que Gisa nunca foi realmente importante para os pais. Para eles, ela sempre foi usada, dependendo do humor, da carência, necessidade de atenção e controle da parte deles. E, ainda por cima, era considerada a ovelha negra, porque, é claro, não conseguia atender às expectativas tão ambivalentes de seus pais. Com isso, nunca conseguia realmente agradar nem um nem outro.

O trabalho de terapia com Gisa foi reestruturar sua percepção acerca de si mesma, fortalecendo-a a criar uma conexão com sua natureza, a aprender a se sentir, sem os pontos de referência externos, que sempre foram pai e mãe. Precisou entender e aceitar o comportamento deles como uma coisa que nunca dependeu dela, e, a partir disso, voltar sua atenção e ação para a percepção de suas próprias necessidades emocionais e para a satisfação plena dessas necessidades. Ela também teve de aprender a se expressar coerentemente priorizando-se, dizendo *nãos* e deixando claro os seus sentimentos, sem se sentir culpada ou errada, muito menos, uma ovelha negra.

Gostaria de enfatizar que numa família, aquele elemento considerado *a ovelha negra*, na maioria das vezes é o elemento mais sensível, e acaba absorvendo as neuroses de todos os outros elementos que projetam suas neuroses nele. Com isso, ele sofre, e, por insegurança, sente-se vulnerável e, com toda a carga de críticas, acaba incorporando a ideia de ser realmente uma ovelha negra. Com isso, a vantagem é chamar a atenção de forma negativa e manipular a família. Mais um jogo de poder interessante, só que altamente destrutivo e que causa uma enorme infelicidade para todos. O ideal é a família inteira participar de um processo de terapia familiar. Quando isso não é aceito, sugiro à "ovelha negra" fazer um trabalho de autoconhecimento, para se fortalecer e sair da neurose familiar, sem traumas ou incômodos.

Em razão de tudo isso, percebemos como é importante posicionar-se num relacionamento, de maneira autêntica. É claro que isso é possível quando a pessoa se propõe a querer melhorar e opta por ser mais feliz. Importante também é exercer um bom e eficaz diálogo, o que veremos no próximo capítulo.

# Como estabelecer um diálogo ideal

Estabelecer um bom diálogo é realmente uma arte de comunicação. E as regras a seguir valem para diálogos em qualquer tipo de relacionamento, entre cônjuges, pais e filhos, amigos, colegas ou mesmo quando você vai expressar o que sente numa relação formal, de reivindicação de direitos numa instituição, ou para alguém que o incomoda, como um vizinho, um profissional, no seu trabalho etc. As regras são válidas para a comunicação entre pessoas que falam.

Como foi dito no capítulo anterior, quando o relacionamento está cheio de cobranças, é hora de repensar sacrifícios, expectativas e dependência emocional. É hora de sentar para conversar. Só que conversar implica dialogar, e o bom diálogo, como veremos a seguir, implica falar o que se sente e não acusar, ofender ou continuar o jogo de cobranças.

Uma regra básica para o diálogo ideal é nunca criticar, agredir ou cobrar. Conversas que começam com crítica, agressão, ofensa ou cobrança fazem com que o outro se arme, tentando se defender ou contra-atacar com outras cobranças, agressões ou críticas. Exemplos:

- Você é um estúpido.
- Você é um idiota.
- Por que você não faz isso ou aquilo?
- Você deveria isto e aquilo... Como pode ser tão burro?
- Onde já se viu agir assim?
- Poxa, cara, qual é a sua, hein? (E parte para a baixaria verbal ou agressão física).
- Desse jeito não dá, você não percebe que blá-blá-blá...

O ideal é que você comece o diálogo expressando verdadeiramente como se sente e assumindo a responsabilidade pelo que sente. Por exemplo:

- Eu me sinto magoado(a) quando você age de tal forma.
- Não me sinto confortável com sua atitude ou comportamento x.
- Gostaria que percebesse que quando age de tal forma, eu me sinto muito mal...
- Minha impressão é que você não tem a real intenção de me magoar, porém, quando age de forma contrária, sinto-me magoado...

É muito importante começar a conversa realçando as qualidades do outro, o que nele é interessante e o que você gosta. Depois disso, poderá expressar o que não gosta ou o que é difícil de lidar. Quando expressamos o que sentimos, com certeza o outro nos ouve. É importante dar um tempo para que ele pense no que foi dito. Não comece a exigir uma mudança imediata; não espere também que somente porque você falou, ele vai abaixar a cabeça, engolir em seco, ficar mudo e mudar imediatamente. Esteja pronto para ouvir o que o outro tem a dizer. Afinal, é um diálogo e não um monólogo.

Quando for conversar sobre o relacionamento, é interessante assumir sua parcela de responsabilidade e delegar ao outro a sua parcela também. Por exemplo:

- Sinto que o nosso relacionamento não está bem, por causa disso e daquilo etc.
- Nós temos problemas em nosso relacionamento, vamos conversar sobre isso?
- Não me sinto feliz com o relacionamento que estamos tendo, por causa disso etc.
- Como é que você sente nossa relação? Gostaria de falar sobre isso, uma vez que não me sinto feliz ou confortável com...

Lembre-se de que depois da conversa é permitido fazer reivindicações e perceber que reivindicar não é cobrar. Uma reivindicação séria também não é colocada com emoção ou choradeira. E, a cada pedido que você faz, terá de fazer uma concessão, uma vez que o outro também tem o direito de reivindicar. O importante é perceber que no relacionamento há duas pessoas envolvidas e muitos aspectos opostos ou divergentes precisam de acordos, que é quando se chega a um consenso, em que cada um cede um pouco; é claro que você não deve ceder em algum aspecto que lhe seja invasivo, ou que soe como puro sacrifício; procure ceder em aspectos que não o sacrifiquem; nesse caso, quando não der para ceder, o correto é respeitar as diferenças e fluir com as semelhanças, naquilo em que os dois têm afinidade e sintonia.

Com certeza, muitas brigas poderiam ser evitadas se as pessoas mudassem o discurso das cobranças e acusações e o tom de falar. Por tudo isso, é muito importante assumir responsabilidade pelo que você sente. Quando você diz *eu me sinto magoado quando*, ou *eu me entristeço com*, você está assumindo porque é o que sente de verdade. Temos boca para falar o que sentimos, e isso é importante porque há casos em que o outro não percebe o que está fazendo, e quando você expressa, está lhe dando um *feedback*, uma oportunidade de repensar que aquilo que faz está causando uma consequência ruim para você e para ele mesmo; sim, porque como já foi dito, o relacionamento é composto por duas pessoas e o que cada uma faz no que se refere à relação em si, afeta a outra e a si mesma.

Você se lembra do conceito de responsabilidade? É a habilidade de responder por algo que fez ou desencadeou. Por esse motivo, a responsabilidade dentro de um relacionamento é de cinquenta por cento para cada lado, porque se um lado não fizer a sua parte, o outro não pode fazer no lugar dele.

É importante também não assumir culpa por ter agido de determinada forma. Muitas pessoas dizem, por exemplo: *Eu fui culpado por não expressar o que sentia, fui engolindo e me magoei com isso, até que um dia explodi, perdi a cabeça, falei um monte etc.*

O correto não é se culpar, uma vez que quem se culpa é porque acha que cometeu um erro, e erro como já foi dito, ocorre quando alguém age de má fé, propositadamente, maquiavelicamente. O correto é assumir a responsabilidade: agiu de tal forma e percebeu que não era a adequada, gerando um resultado ruim e infeliz. Dessa forma, é correto criar uma nova alternativa, tentando fazer diferente. Precisamos aprender com essas ações que consideramos erros, e, se aprendermos, não agiremos da mesma forma novamente, porque teremos aprendido. Agora, se achar que aprendeu, mas mesmo assim continuar a agir do mesmo jeito, procure perceber, afinal, o que acontece, se está agindo por teimosia, autopunição ou não houve uma real aprendizagem e você está insistindo porque não aprendeu de fato. Repense suas ações consideradas erros.

Insisto nesses detalhes justamente para que você não se volte contra si mesmo, depreciando-se; afinal, gerar culpas não é uma atitude positiva. Maturidade é assumir responsabilidade percebendo o que se faz e criando novas alternativas, baseadas na tentativa de acertar e no sentir quando uma determinada ação gerará conforto e bem-estar.

Quando se fala em reação explosiva ou choro compulsivo, é interessante perceber que esses estados são resultados de excessos de contenções. Imagine que há um copinho energético dentro do seu peito; cada atitude que você tem contra si mesmo gera frustração, cobrança, irritação, contenção, e quando você não elabora e não expressa o que sente é como se tudo isso se acumulasse como gotinhas energéticas. Haverá uma última situação que provavelmente nem será tão grave ou séria, mas será a última gota que transbordará o copinho energético; e aí você explodirá, xingará tudo o que tem direito, levantará coisas antigas, expressará de tal forma explosiva que o outro não entenderá nada, ou chorará um dia inteiro, ou, às vezes mais, como já ouvi por parte de alguns clientes. E tudo isso ocorre porque você acumulou coisas aí dentro, sendo que o ideal é lidar, homeopaticamente, com o que sentimos, ou seja, sentir – aceitar – elaborar – expressar. A tal fase da TPM (tensão pré-menstrual), tão terrível para as mulheres e para as pessoas que estão à volta delas, só significa um monte de coisas mal elaboradas e contidas durante o resto do mês, e que vem à tona nessa fase, momento em que ela está mais sensível, por natureza. Sensível não quer dizer terrível; porém, por conta dessa sensibilidade, ela estará em contato mais facilmente com as coisas acumuladas, e seu humor ficará tétrico. Melhorar significa se propor a se conhecer melhor, suas raízes emocionais, crenças e seus decretos, suas cobranças e formas de se irritar, propiciando o processo de autoaceitação e expressão nos mais variados níveis. TPM tem cura.

Outra coisa interessante é o tom como falamos. Parece que a energia do tom é mais importante do que o conteúdo da palavra, tanto é que os bebês e os animais sentem e se ressentem com o tom e a energia e não com o conteúdo do que é dito. Existem pesquisas interessantes que mostram que eventualmente podemos dizer as maiores barbaridades e palavrões, porém se ditos em tom carinhoso, quem ouve nem se irrita, nem tenta se defender; já, por outro lado, palavras amorosas ditas em tom agressivo tiram o significado amoroso e o que fica evidenciado é apenas a agressividade.

Por tudo isso, repense na forma como coloca as coisas, e a única garantia que tem de ser ouvido realmente é expressar o que sente verdadeiramente.

Sentir, aceitar o que sente, elaborar, percebendo como você causou determinado sentimento e expressar o que sente é a sequência mais importante dentro do relacionamento, uma vez que o acúmulo de situações ou gestalts inacabadas, em que as pessoas não falam, só se ressentem, dão um tempo e continuam não falando, e acumulando outras situações inacabadas faz com que as pessoas ou se agridam, nos momentos explosivos quando tudo é despejado, ou se afastem.

Quantas histórias já ouvi que mostram que o casal tinha um sentimento bom um pelo outro, só que pelo acúmulo de situações de mágoas, ressentimentos, momentos em que não falaram sobre o que sentiam, foram se afastando. Quando o casal percebe isso e recorre à terapia de casal é bom; pior é quando se separam porque não se suportam mais e depois ficam ruminando certo arrependimento de que não esgotaram todas as tentativas para salvar o relacionamento. É muito bonito e gratificante quando o casal aprende a expressar o que sente e a se ouvir com respeito e consideração, e, com certeza, isso significa reaprender a se relacionar.

Resumindo as regras para um bom diálogo:

- Se você ou o outro estiverem com muita raiva, espere para se acalmar; respire fundo, conte até dez e escolha falar com firmeza, porém sem agressividade. Ou aguarde a poeira abaixar ou um momento mais tranquilo para começar a conversa.

- Tente expressar-se com sinceridade.
- Realce inicialmente as qualidades do outro.
- Expresse o que você não gosta ou tolera (defeitos) e sua dificuldade de lidar com isso. Por exemplo, quando você faz isso, eu me sinto...
- Assuma responsabilidade pelo que sente, pois é você que sente.
- Procure não cobrar o outro pelo que ele não é capaz, ou não está relacionado ao seu jeito. Por exemplo, cobrar que ele se lembre de todas as datas comemorativas, quando ele não consegue se lembrar nem do próprio aniversário; cobrar que ele seja superorganizado, assim como você, quando esse não é o estilo dele.
- Procure exercer uma relação baseada na verdade. Verdade atrai verdade e seu posicionamento atrai o posicionamento do outro.
- Reivindique sem imposições e dê espaço para o outro atender ou não.
- Dê o exemplo. Trate o outro como gostaria de ser tratado; porém, aja com o coração, sem critérios de obrigação ou troca-troca.
- Não critique, não ofenda, não agrida, não cobre, porque isso levanta a defesa e rebeldia.
- Procure agir homeopaticamente, ou seja, a cada emoção que sentir, elabore e expresse, uma vez que se você ficar segurando tudo, chegará o momento em que o copo

transbordará e você partirá para a explosão agressiva ou o choro compulsivo. Logo, não podemos criticar a explosão em si, uma vez que ela representa tudo o que foi acumulado. Se não quiser correr esse risco, elabore dia a dia o que sente, crie uma forma de expressão ou assuma responsabilidade por não querer falar.

- Fale somente o que sente; evite colocar opiniões de outras pessoas.
- Para os filhos: coloque limites claros. Pense antes de responder *sim* ou *não* e mantenha o que disser. Não seja inconsistente.
- Não dê lições de moral. Fale de sua experiência, dê sugestões.
- Ajude seu filho a perceber como ele se sente quando age de determinada forma. Por exemplo, diga: *filho, gostaria que percebesse como acaba irritando todos à sua volta. Qual a vantagem que você tem em irritar? Você irrita e acaba tendo uma atenção negativa. Como se sente com isso? Isso é bom?* Fale e saia, não espere a resposta. É importante que ele elabore sozinho esse conteúdo.
- Jogue a responsabilidade do outro nele mesmo. Não assuma o que não é da sua conta.
- Com os filhos, não faça o que eles podem fazer. Trabalhe a confiança deles. Dê espaço para que percebam sua própria capacidade. Não facilite, não escolha por eles, dê espaço para que eles emitam uma opinião. Não imponha, dialogue!

## Reforçando algumas reflexões importantes

- Invista e trabalhe seu autoconhecimento, a fim de não se sacrificar, para não perder sua identidade.
- Procure entender a raiz das suas necessidades emocionais.
- Trabalhe o suprimento das próprias necessidades emocionais.
- As pessoas estão juntas porque se atraíram, uma é instrumento para a outra. Nada é por acaso. Pergunte-se sobre o que precisa aprender com determinada situação.
- Trabalhe a projeção: o que você odeia no outro, você faz consigo mesmo.
- Trabalhe a verdade e saia da ilusão: eu sou como eu sou; o outro é como é.

## Exercício

Os exercícios podem ser feitos em qualquer relacionamento, não apenas entre cônjuges.

Um trabalho, dentro da Gestalt-Terapia, que é feito em terapia de casais, é a expressão dos ressentimentos. O casal pode, um de cada vez, começar a expressar seus ressentimentos, como por exemplo:

- Eu me ressinto quando você faz isso ou aquilo, quando você fala desse ou daquele jeito, como você me trata quando... etc.

Depois de cada um ter expressado seus ressentimentos, devem colocar suas reivindicações:

- *Eu gostaria que você me desse uma atenção assim...* ou *quero que me considere positivamente quando eu...*

Enfim, expresse suas vontades, ouça as reivindicações do parceiro. Depois disso, ambos podem chegar a alguns acordos. Uma vez, atendendo um casal, uma das grandes diferenças entre eles era o ritmo sexual. Ela queria que as relações fossem mais assíduas e à noite, ele, que fossem somente pela manhã e somente quando ele estivesse a fim. Com certeza, no que se refere a esse exemplo de necessidades, não é fácil chegar a acordos, pois não se pode mudar ritmos biológicos. Enfim, o acordo que chegaram foi no sentido de ela expressar sua vontade e não deixar para que ele tivesse de adivinhar; ele, de sua parte, iria, em alguns momentos se propor a dormir mais tarde do que o costume (pois ele dormia mais cedo que ela), para que pudessem ter uma relação sexual à noite. Interessante que apenas o fato de se proporem a conversar e expressar suas reivindicações, já melhorou bastante o relacionamento, e pelo que sei até o momento prosseguem em harmonia. Um dos problemas básicos nesse casal era a falta de diálogo, em que um achava que já conhecia o outro o suficiente para nem ter de escutá-lo. E, com isso, já não se falavam mais e, subliminarmente, o ressentimento estava crescendo e distanciando um do outro. Aliás, o distanciamento sexual acaba acontecendo por osmose, quando há ressentimentos não expressos.

Em certa ocasião trabalhei em terapia com um casal há vinte e um anos juntos, com queixas de infelicidade e solidão a dois. Depois de expressar todos os seus ressentimentos, ela disse o seguinte:

– *Eu me sinto muito magoada porque você nunca me levou a um motel.* Ele, espantado, respondeu:

– *Eu não sabia que você queria ir a um motel. Achei que odiaria a ideia. E por que você nunca me falou isso?*

– *Porque você nunca me perguntou!*

Vejam que coisa mais absurda o nível de expectativa, passividade e moralismo dessa mulher, inibindo em si mesma a capacidade de expressar suas ideias e vontades.

Em terapia com uma cliente, em dado momento ela colocou o quanto não suportava alguns hábitos do marido. Conversando muito sobre projeção, ela entendeu várias de suas coisas projetadas nele e ficou retida no comportamento que realmente não aceitava: o fato de ele beber nos fins de semana. Ela dizia que achava que ele mudava o comportamento, ficava mais falante, solto, crítico e isso a incomodava. Insistiu para que eu conversasse com ele, até para ouvir o seu lado e as opiniões dele sobre ela. Normalmente atendo o casal junto, mas nesse caso concordei com o pedido dela. Ao ouvi-lo, ele expressou o quanto a amava e o quanto ela era muito legal, não gostava apenas do seu jeito de controlar o que ele considerava um prazer: beber aos fins de semana. Disse que não passava de seis ou oito latinhas de cerveja e não se via inconveniente. Colocou enfaticamente que aquele era o tipo de acordo que nunca faria com ela, pois não abriria mão das cervejas. Não houve acordo; quem precisou trabalhar a aceitação desse fato foi ela, em razão justamente de levar em consideração outros aspectos positivos e a forma de ser dele que eram valorizados por ela.

É muito importante verificar os aspectos positivos. No caso citado, se não houvesse bons aspectos positivos nele, seria muito mais difícil ela aceitar o hábito dele. Quais foram as opções dela para trabalhar o fato? Uma era não ficar por perto quando ele estivesse bebendo, e isso ficou claro para ele, como um acordo tácito de espaço: *Você faz o que quer, mas que eu não aprovo; logo, não tenho de presenciar e fico longe.* E por que não? Talvez nessas horas ela pudesse se permitir fazer coisas interessantes para si mesma, como ir ao cinema com as amigas, fazer uma caminhada; seja lá qual fosse a opção, o importante é que se sentisse bem em agir em prol de si mesma e com a consciência de que se ele não entrou em acordo com ela, não é porque não a amava, e sim porque ele estava respeitando sua liberdade de ser e fazer o que lhe dava prazer.

Aliás, essa é uma neurose comum presente nas pessoas: quando uma quer algo, e a outra não concorda em fazer. É comum que por um esquema de autoestima baixa, a pessoa ache que se a outra não concorda com ela é porque não a ama. Que bobagem! É uma questão de opção e liberdade de ser.

**Reflita:** se alguém não está pronto para respeitar as opiniões do outro, que podem ser diferentes das suas, então não está pronto para viver com ninguém.

Outrossim, no que se refere ao sexo, uma coisa fundamental na relação a dois, tanto quanto o diálogo é a *de-*

*sinibição*; é importante perceber que numa relação sexual, cada um se dá prazer, cada um precisa estar aberto para se dar e sentir prazer, e, assim, abrir-se, assumir o que gosta e expressar isso.

Eu não me dou ou entrego para o outro, mas para mim mesma, para o meu próprio sentir. Sexo não é sério, dá prazer e é uma função natural; não tem de ter hora. Assim, fazer sexo é muito espiritual e é uma troca energética muito grande. Então, quando os parceiros estão ressentidos, quando há uma longa lista de mágoas, o sexo acaba sendo prejudicado, pois, normalmente, os dois têm dificuldade em *se entregar* ao outro numa relação, por conta das mágoas e dos ressentimentos. Esse comportamento é mais comum na mulher, que acha que tem de se entregar. Seria muito bom refletir que a entrega acontece primeiro para si mesma, para o que sente, e depois para o parceiro. Mesmo que ela queira magoar o parceiro afastando-se dele sexualmente, deveria se perguntar como se sente em *se punir*, pois uma vez afastando-se dele, ela não tem a possibilidade de praticar a troca de prazer. Será que vale a pena? Não seria mais interessante expressar logo o ressentimento, assumir responsabilidade pelo que sente e chegar a um acordo?

E, se enfim, você fizer várias tentativas e ações e mesmo assim não conseguir estabelecer um bom diálogo ou um bom relacionamento, por que não recorrer a uma terapia de casal ou familiar? Posso garantir que essa ajuda é muito eficaz!

# Como tornar os relacionamentos autênticos e saudáveis

Um simples alfinete é capaz de movimentar um lago. Faça pequenas revoluções. Comece mudando as próprias atitudes e, aos poucos, o mundo que o cerca mostrará as mudanças que começaram com você.

PENSAMENTO ZEN-BUDISTA

O que se pode fazer para melhorar um relacionamento e promover um encontro que realmente valha a pena?

Em primeiro lugar, promova o equilíbrio pessoal. A melhoria pessoal de cada um torna o relacionamento melhor e mais maduro.

E o que é equilíbrio?

Basicamente, equilíbrio é flexibilidade, o contrário de rigidez. E flexibilidade é abertura, necessidade de rever ideias e conceitos a cada dia. Em cada momento de nossa vida temos necessidades diferentes, não é mesmo? O modelo psicoemocional ideal, ou equilíbrio emocional, significa atender às necessidades atuais com bom senso, ou seja, desenvolver uma ação que satisfaça as necessidades com prazer e conforto, gerando resultados saudáveis. Para perceber as necessidades de forma real, é importante estar conectado com o sentir. É importante que nos sintamos à vontade com nossas vontades.

Equilíbrio não é ter respostas prontas, nem é agir do mesmo jeito. Pelo contrário, é importante flexibilizar, sem a necessidade de achar que se tem de saber sobre tudo ou estar do mesmo jeito todos os dias. Penso que, a cada vida temos desafios diferentes, e ninguém estará apto a conhecer tudo sobre tudo em uma única vida. Ser humilde significa reconhecer o que não sabemos e valorizar o que sabemos, bem como nossos talentos, que são únicos. Cada ser, enquanto único, também tem uma criatividade única, dentro do seu próprio jeito de ser, pensar e se expressar.

Equilíbrio é não se deixar levar pelas opiniões do outro, desconsiderando as próprias sensações. Lembre-se de que compreender o outro não significa não sentir nada ou ter de desconsiderar o que você sente por conta de sua compreensão. Já ouvi relatos em que alguém achou que por compreender o companheiro, estaria errado em ter e respeitar suas próprias emoções. Nada a ver. Você pode compreender o outro e sentir-se decepcionado, por exemplo. A decepção é sua e deve ser elaborada por você, checando suas expectativas. Assim, você sente o que sente e esse é o seu conteúdo. Lembre-se de que esse conteúdo está aí para que você observe sua postura mental e seus pensamentos. O seu conteúdo é seu e não tem que ver com o do outro ou com as atitudes dele.

Equilíbrio é perceber o seu real espaço de ação, observando os limites, o que você não controla e o que não pode mudar.

Equilíbrio é não se identificar com o que está fora de você. Equilíbrio é ser espontâneo e natural. É saber dar e receber.

**Reflita:** um relacionamento se esgota naturalmente quando não há trocas. O que acontece num relacionamento desgastado? Comodismo, depressão, muita frustração e uma sensação de vazio enorme, como se só você estivesse dando, doando muita energia e nunca sendo retroalimentado, somente sugado, recebendo migalhas e, às vezes, nem isso. Um relacionamento pode ser alimentado pela neurose de ambos os parceiros e ser neurótico, portanto, ruim.

Assim, considerando os aspectos mencionados, podemos afirmar que quando as pessoas estão equilibradas, conseguem criar bons relacionamentos, igualmente equilibrados e positivos; e isso é resultado de uma escolha, da opção em agir de forma mais equilibrada e madura emocionalmente; e aqui vão algumas dicas, que já foram dadas, mas que não custa repetir, para fixar a possibilidade de melhorar os relacionamentos:

- Investir na sua melhoria pessoal, mediante processos de autoconhecimento, para tentar entender as crenças e os decretos emocionais que você criou a seu próprio respeito, a fim de perceber suas necessidades emocionais e seus potenciais para o seu autossuprimento.

- Abandonar a ilusão de que alguém vai fazê-lo feliz. Somente você mesmo pode se fazer feliz quando se conecta com o seu sentir. Quantas pessoas, quando perguntadas sobre o que as faz felizes, não sabem responder? Porque são pessoas que desenvolveram pontos de referência externos e não internos, onde conta apenas o que o outro sente, e o que elas acham que o outro espera delas.

- Assumir responsabilidade por si mesmo e por suas carências.
- Desobrigar-se e desobrigar o outro. Ninguém *tem de* nada, nem você, nem o outro.
- Reflita: como é a pessoa que está ao seu lado? Saia do rótulo, do ideal e do papel. Não veja, por exemplo, o esposo que você tem, veja a pessoa que também é o seu esposo.
- Faça para si o que espera que o outro lhe faça. Trabalhe independência e autossuficiência.
- Aumente sua autoestima para resolver questões de ciúme, desconfiança e dependência emocional.
- Dê o exemplo: agindo e não só pensando. O outro não é obrigado a saber o que se passa em sua cabeça se você não disser. Dê o exemplo pelas ações.
- Estabeleça um bom diálogo (dicas no capítulo *Como estabelecer um diálogo ideal*).
- Desiniba-se: tome a iniciativa de fazer o que quer que o outro faça.
- Seja verdadeiro e espontâneo.

# Relacionamento com o adolescente

## Revendo conceitos quanto à prevenção às drogas

Quando se fala em adolescente é comum as pessoas torcerem o nariz e relacionarem adolescente com aborrecente. De fato, na maioria das vezes, e com raras exceções, essa fase não é a das mais tranquilas, nem para eles, nem para os pais e as famílias.

A adolescência é uma fase de mudanças rápidas e drásticas. É como se a criança estivesse morrendo e se transformando em alguma coisa que o adolescente não faz a menor ideia do que seja. Vemos que estados de medo e ansiedade são comuns. É uma fase de autoafirmação e, por outro lado, de medo do desconhecido. A revolução hormonal é enorme e ele já não se conhece mais, geralmente acha seu corpo horrível, desengonçado e é capaz de trombar em tudo, pois ainda não está acostumado com o seu crescimento. É comum que nessa fase sinta medo de perder os pais, pois a ideia de morte está muito presente, representando a *morte/transformação* pela qual está passando. Como a criança está morrendo, bate o medo do desamparo, daí o medo de que os pais morram. Eventualmente, podem acontecer expressões de preocupação com o pai ou a mãe, porque estão demorando a chegar, onde é que foram, se voltam logo etc., exteriorizando, dessa forma, essa sensação de *morte subliminar*. Então, bate insegurança, ansiedade e necessidade de se autoafirmar, tudo ao mesmo tempo.

Assim, se ele está ansioso e inseguro, como pode transmitir calma e tranquilidade à família? Seria realmente esperar demais, não é mesmo?

Os tempos estão mudados e o adolescente também. Antigamente o adolescente não era muito notado, pois parece até que pulava essa fase, de uma infância comprida para a idade adulta; a educação era mais austera, ele era exigido quanto ao trabalho e a assumir responsabilidades. Atualmente, parece que a adolescência está cada vez mais longa, e até encontramos *adolescentes* de vinte e cinco anos, ainda sendo devidamente sustentados pela família, recebendo mesada e sendo tratados como sujeitos ainda não muito responsáveis. Extremos à parte, o fato é que precisamos rever conceitos na relação com o adolescente.

Penso até que ponto o adolescente atual, quando desafia com sua maneira solta, rebelde, irreverente, aparentando não ter medo do perigo, não está mostrando para a geração dos pais, a repressão pela qual eles, os pais, passaram? Pais, hoje com quarenta anos ou mais, com filhos adolescentes, foram pais que vivenciaram uma época de repressão, com valores e moral mais rígidos e menos liberdade. O adolescente de hoje pode refletir para os pais a repressão que eles vivenciaram, tudo o que aprenderam a segurar com medo de se expressar e se darem mal ou serem mal interpretados para as famílias da época. Os adolescentes nos mostram de maneira gritante o que somos por *baixo do pano* e não elaboramos direito. É importante perceber que os filhos mostram de uma maneira bem grande o que os pais são e fazem.

Essa ação de *ficar*, enturmar-se, a necessidade extrema de liberdade, não seria justamente a tônica da Nova Era – menos possessiva, menos repressiva, mais autorrespeitosa e livre? Percebo que linguagens de repressão e autoritarismo atuais não são bem-vindas e apenas incentivam a rebeldia deles. O adolescente de hoje não quer ouvir, não quer saber de lições de moral. O ideal é dialogar, expressando as próprias experiências de vida, ideias e sugestões, sem imposições. É importante falar sem impor, porém, jogando responsabilidade e refletindo como eles se sentem com as próprias ações.

Sugiro aos pais que quando presenciarem maus comportamentos, não critiquem e reflitam com o adolescente: *Como se sente com isso? No que vai dar isso? Qual é o seu objetivo com esse comportamento? Qual a vantagem de agir dessa forma? O que você lucra com isso?*

Essas reflexões são importantes, pois assim você não estará criticando, cobrando nem ofendendo, mas sim dando a oportunidade para uma reflexão e mostrando a ele seu ponto de responsabilidade pessoal ao agir dessa ou daquela forma.

Os pais devem passar a ideia de responsabilidade e autoestima; eles podem e devem dividir suas próprias experiências de vida, dar sugestões, porém, não podem impedir os filhos de experienciarem, vivenciarem suas próprias coisas, para, com isso, ganharem experiência e chegarem às próprias conclusões.

Orientar é importante, dar apoio como retaguarda, dialogar e expressar como vocês, pais, se sentem com as atitudes do adolescente.

Muito importante também é colocar limites consistentes. Pense muito bem antes de dizer *sim* ou *não*, pois, uma vez dito, não mude, para não criar inconsistência de atitude. É interessante que ele aprenda a lidar com suas frustrações. Expresse coisas do tipo: *Não é tudo do jeito que você quer, não é tudo na hora que você quer; eu não tenho de fazer o que você quer, na hora que quer, para mostrar que o amo; o mundo não vai fazer o que você quer, só porque o quer.*

É importante também que os pais transmitam paciência e aceitação, sem ter de fazer o que ele quer. Por exemplo: *Posso compreendê-lo, mas não aprovo suas atitudes; posso compreendê-lo em suas razões, porém me sinto triste e decepcionado por conta de...* É importante os pais falarem o que sentem, sem culpa, e dar ao filho o tempo que precisa para elaborar suas frustrações. Não exija dele compreensão imediata, bom humor e passividade. Esses comportamentos são difíceis para ele, por conta da rebeldia que, nessa fase, é como se fosse sinônimo de autoafirmação.

É muito bom que os pais expressem o que sentem e abram espaço para que ele também se coloque; e também que ouçam e se interessem pelo que ele tem a falar. Todo mundo gosta de ser ouvido, e o adolescente quer se mostrar e perceber que você tem interesse em ouvir suas ideias e seus pontos de vista.

Outra coisa na relação com o adolescente, e que os pais devem refletir muito, é quanto ao orgulho e as expectativas. É comum que os pais queiram que o filho seja perfeito, feliz, que dê certo na vida etc. Veja bem, isso é uma intenção, um desejo, mas não é a responsabilidade real dos pais. Os pais eventualmente podem sentir que se o filho não é feliz ou não dá certo na vida, é porque são péssimos pais. Eventualmente, isso até pode ser verdade, porém, os pais devem confiar nos valores que transmitiram e nas coisas que ensinaram ao filho, mas devem ter em mente que o que o adolescente vai fazer com esses ensinamentos não está sob o controle deles. O adolescente tem o livre-arbítrio, ele tem o seu próprio propósito de vida. Devemos ter em mente que temos o filho certo e ele tem os pais certos. Não há injustiça na vida. Todos somos mestres e aprendizes. Um aprende com o outro. Todos são instrumentos para todos. E a vida não erra. Assim, os pais precisam confiar nos valores transmitidos, a base já está formada. É fato que a personalidade básica já está formada aos sete anos de idade. Assim, os pais não têm de achar que para se sentirem perfeitos, o filho tem de ser perfeito e feliz. Os pais devem se desvincular dessa crença errada, se fizeram a cada momento o melhor que puderam. E, mesmo se não fizeram, naquele momento e com aquela maturidade, foi o melhor que poderiam. Nada de culpa, cobrança e autocrítica!

Creio que o bom relacionamento com o adolescente implica um contato verdadeiro, onde se queira e se esteja pronto para ouvir o que o jovem tem a dizer. É importante falar e ouvir.

Às vezes, ouço queixas de mães sobre os filhos, que eles as irritam porque são desobedientes, teimosos, agressivos; com isso, elas se sentem tristes e ansiosas e pensam em partir para a agressão ou ignorar os filhos. Diante dessas situações, sugiro que a mãe não se culpe pelo que falou ou fez, mesmo porque ter agido de determinada forma foi realmente o seu melhor, e não faria bem ficar se culpando e condenando; porém, peço que reflita sobre o principal aspecto que a incomoda. Quando detectar isso, procure sentir o quanto ela mesma também é ou age assim.

Por exemplo, se o filho é teimoso, a mãe também o é, porque se não fosse, e se não estivesse competindo por poder ou fosse mais segura, não teimaria, pelo contrário, se posicionaria, o que é bem diferente. É importante refletir sobre o que fazemos igual ao outro, isso se chama projeção. Você se irrita com algo que também faz. Por outro lado, não existe um filho problemático sozinho, na maioria das vezes, o ambiente, a formação recebida, propiciam ou exacerba essa problemática. Não está errado comunicar ao filho o quanto ele o irrita. O erro está em generalizar isso. Por exemplo, se você falar *você é irritante, você é chato*, ele tenderá a receber a mensagem de que ele todinho é irritante e chato e que não tem nada de bom. Por essa razão, é interessante mostrar o que nele é irritante, o que exatamente ele faz que é irritante.

Um exercício interessante é se colocar no lugar do outro e tentar sentir o que ele é e como gostaria que lidassem com ele. Obviamente, não se trata de mimar, mas de compreender as necessidades do filho e mostrar isso a ele com um diálogo, onde você pode expressar verdadeiramente o que sente. Falem de si mesmos, de suas próprias experiências, de suas dificuldades, do quanto, às vezes, é difícil lidar com ele, entendê-lo. Mostre compreensão e a vontade de querer entender o que ele sente e necessita.

Os pais devem passar ao filho a ideia de que eles não são super-heróis nem modelos únicos e infalíveis, uma vez que também são pessoas humanas que erram e que se permitem aprender, que errar é permitido para aprender e crescer. Se forem autênticos, abrirão um espaço interessante para a construção da autenticidade do adolescente, e ele com certeza vai respeitá-los mais.

É verdade que os pais transmitem mais pelo comportamento, pela ação do que pela fala. Eventualmente, pode-se falar muito e passar uma ação inconsistente com o que se falou. Nada mais esquisito para os adolescentes do que ouvir belos discursos morais ou religiosos, que aconselham retidão de caráter, e depois ver os pais estimulando-os a *vencer a qualquer preço*, ou afirmando que *o fim justifica os meios*, ou verem eles mesmos, os pais, praticando isso em sua vida.

O que se pede aos pais e educadores não é perfeição, mas senso de responsabilidade; o que se espera dos pais não é rigidez moral, mas transparência de princípios; o que se deseja não é que os pais nunca errem ou nunca se desequilibrem; deseja-se que, errando ou desequilibrando-se, sejam capazes de pedir desculpas aos filhos, aí sim, transmitindo-lhes uma flexibilidade moral sem máscaras, enfim, eles devem ter a capacidade de dar o exemplo, pela ação coerente.

Outra coisa importante, na minha opnião, é que os pais transmitam valores sobre ser e não ter. Os adolescentes de hoje vivem numa sociedade bastante consumista, em que os *adultos do marketing* criaram roupas de jovens, música de jovens, dialetos de jovens, tudo isso porque decidiram fazer da juventude um mercado rentável; assim, é importante que os adolescentes tenham em seus pais modelos lúcidos, que lidem criticamente com o consumismo.

É fato que atualmente existem muitas pressões socioculturais; claro que nenhum ser humano é uma ilha isolada das sugestões, seduções e até imposições do meio; porém, um adolescente sadiamente educado pela família, conviverá com pressões sociais que muitas vezes apontam caminhos perigosos e experiências de alto risco. Com certeza, os filhos desenvolvidos em um lar de valores sólidos e bons, onde as atitudes dos adultos são de fato modelares, terão concretas possibilidades de resistirem às pressões sociais e ao consumismo cultural. E os pais são um exemplo novamente desse comportamento. Se o adolescente cismar que quer algo que os pais achem exagero, não devem dar nem facilitar a compra. Se perceberem que ele gasta mal sua mesada, devem conversar, retirar a mesada ou diminuir o montante a fim de que o filho reflita sobre os próprios exageros. Devem ensiná-lo a pensar se aquele algo novo que ele quer, é realmente necessário. E, novamente, refletir se está transmitindo valores que também segue, ou seja, se está tendo ações coerentes com o seu discurso.

O objetivo do bom relacionamento é atuar para que o adolescente tenha uma boa autoestima e autoconfiança, a fim de que ele possa aprender a lidar com frustrações, ansiedade, depressão e pressão social, e, com isso, sentir-se suficientemente fortalecido para declinar da influência de vícios ou comportamentos autodestrutivos, como o uso de drogas.

Atualmente, muito se fala e muito se teme quanto à facilidade que o jovem tem de conseguir drogas e incluir-se nesse meio, seja por curiosidade, pressão social ou por um fator de personalidade dependente. Tenho participado de grupos e seminários que discutem a prevenção às drogas, e, pessoalmente, creio que o principal fator que leva um adolescente ou qualquer pessoa às drogas é a personalidade dependente e desequilibrada, e comportamentos familiares inconsistentes. Por exemplo, é bastante comum certos jovens conviverem em lares onde os pais consomem tranquilizantes e hipnóticos, pois vivem cansados do estresse provocado pela pressão cotidiana ou por problemas que nem sempre são mencionados claramente. Não deixa de ser um comportamento em que se transmite subliminarmente a necessidade de *algo mais* para viver e *bem*. O que o jovem que já tem uma personalidade dependente e é inseguro tenderá a fazer? Provavelmente, pensará que procurar uma droga estimulante, excitante ou alucinógena deve ser interessante, uma vez que vê a experiência dos pais que, se agem dessa forma é porque o mundo é pouco criativo e desinteressante, e há a necessidade de se recorrer a *uma fuga para criar o bem-estar que não se encontra na vida*.

As bebidas alcoólicas, por exemplo, continuam sendo, entre as drogas, o inimigo mais devastador da saúde humana (tanto no aspecto físico como no psíquico), e, no entanto, muitas vezes os filhos aprendem com os pais a provar um vinho excelente não pelo prazer de apreciar um cálice de bebida saborosa, mas apenas pelo ato de *beber para ficar alegre*. É claro que não escapa ao adolescente a percepção que quem precisa beber para ficar alegre, deve ser uma pessoa cotidianamente infeliz ou bem vazia de vida interior, criatividade ou felicidade.

Para que servem as drogas? Claro que há casos em que se quis experimentar por pura curiosidade; o resultado foi ruim ou bom, tanto faz, mas não causou a vontade de experimentar novamente. A droga, em geral, libera conteúdos inconscientes. Eventualmente, se o conteúdo reprimido está relacionado a atitudes sadias, por exemplo, soltura, alegria, desinibição, o que aflora não é negativo e não trará maus resultados. Contudo, se o conteúdo reprimido é agressividade, frustrações, medos, os resultados poderão ser muito ruins e até mesmo catastróficos. A droga também funciona como compensação de prazeres não vivenciados em outros momentos da vida, por conflitos interiores não exteriorizados, por vontade ou curiosidade de vivenciar *algo extraordinário*, enfim por vários motivos psicológicos, como veremos a seguir. É como se o que chamasse a atenção na droga fosse uma ideia mais ou menos assim: *Agora eu posso ser o que quero*, e onde se cria um ritual de pseudoprazer, ao mesmo tempo destrutivo, porque faz mal. Como o indivíduo não se sente forte, há um conflito contínuo, ele sabe que se destrói, mas não tem a confiança de que pode ser o que efetivamente é, de acordo com sua natureza verdadeira. E o pior é que não sabe como é essa natureza verdadeira, porque nunca teve espaço para perceber isso, de acordo com a formação que recebeu, por exemplo.

Acredito piamente que quando, em terapia, o sujeito perceber como é a sua natureza e abrir espaço para ser o que é, ele vai querer viver e não se autodestruir, porque a natureza embute o respeito pela vida. Na hipnose Ericsoniana, em que o princípio básico é a crença no poder interior, o dependente tem muita condição de reverter o processo de dependência, passando a se valorizar, principalmente quando entende os motivos de suas compensações por meio das drogas e do álcool. Outrossim, métodos de relaxamento, técnicas de meditação, que facilitam o silêncio mental, estados alterados de consciência e o contato com o sábio *eu* interior, também são métodos muito eficazes para tirar o adolescente das drogas. Entre ficar em um estado alterado destrutivo e aprender a entrar em alfa, por exemplo, via relaxamento e, com isso, sentir um bem-estar duradouro e construtivo, ele perceberá que o segundo caminho é muito mais interessante.

Aspectos de uma personalidade equilibrada ou resiliente:

- Tem capacidade de lidar com os problemas e superá-los.
- Não se abate facilmente.
- Não culpa os outros pelo seu fracasso.

- Não julga os seus agressores como maus.
- Tem uma capacidade maior de lidar com as frustrações.
- Tem responsabilidade pelos seus atos sem vitimismo.
- Aceita bem a ideia de mudanças; não gosta da rotina e gosta de inovar.
- Tem uma boa autoestima.
- Consegue gerenciar sua ansiedade sem se desesperar.
- Não é pessimista e apresenta uma dose elevada de bom humor.
- Tem sonhos e projetos de vida.

Para que se treine resiliência e equilíbrio no adolescente, é importante:

- Aumentar a autoestima e a autoconfiança.
- Valorizar pequenas vitórias.
- Desenvolver a capacidade de ir além e de perceber os problemas, sem, contudo, ficar focado neles, mas sim enfrentá-los, por meio da possibilidade de estabelecer metas e objetivos.

Em contrapartida, os fatores de personalidade do adolescente propenso às drogas são:

- Personalidade dependente – é como se esse tipo de personalidade sempre dependesse de álcool ou drogas, para afastá-la de uma suposta ansiedade, ou realidade, ou jeito de ser que são insatisfatórios e/ou amedrontadores.
- Ansioso, impaciente, intolerante.
- Não saber lidar com as emoções e os sentimentos.

- Agressivo = SOS de carência de afeto e atenção. A agressividade geralmente tem essa mensagem de carência máxima de amor e afetividade, e, ao mesmo tempo, transmite a ideia de não saber lidar com essa necessidade, muito menos com a expressão de amor ou de afeto.
- Tendência a fugir da realidade ruim por não saber lidar com ela ou porque não acredita que possa (falta de autoconfiança).
- Saúde deficiente.
- Baixa autoestima – não se sente alguém que *vale*, que é bom e tem qualidades.
- Tônus vital enfraquecido.
- Falta de objetivos/metas, por sensação de incapacidade, ou desmotivação, ou medo de errar.

Resumindo, as desejáveis ações e atitudes importantes por parte dos pais e educadores, no que se refere a um trabalho de prevenção às drogas, poderiam ser as seguintes:

- Entender quem é o adolescente atual, sua sensibilidade, rebeldia, uma vez que ele pode ser um espelho para os pais de sua própria história de repressão e conflitos.
- Rever conceitos morais, preconceitos, liberdade. Seria interessante que os pais e educadores percebessem que o adolescente não quer ouvir lições de moral, ele quer ser ouvido e entendido, e está aberto a ouvir as histórias de vida e experiências dos pais e educadores. Só que ele não tolera mais as ideias preconceituosas, por exemplo no que se refere à homossexualidade, virgin-

dade, às relações sexuais, o *ficar* etc. O adolescente espera ser respeitado, e os pais e educadores deveriam ouvi-lo, dialogar com ele, sempre mostrando a responsabilidade que tem por si mesmo e por suas ações, e também mostrando como ele deve estar atento à voz de sua própria natureza para não ir contra ela, por meio de atitudes autodestrutivas. Ensiná-lo a respeitar o que sente e aprender a usar o seu bom senso. O adolescente de hoje é mais sensível, está mais bem equipado espiritualmente para ser um guerreiro, um contestador da moral antiga e medíocre, mas ainda está um pouco perdido. É como se precisasse de um guia que o respeitasse e o ensinasse a acessar os seus próprios e incríveis potenciais. Ele não precisa de bronca, cobrança ou crítica. Ele precisa de um direcionamento respeitoso e firme, na qual sinta a coerência nas atitudes dos pais e mestres.

- Importante: os pais não devem fazer para ele o que já aprendeu; devem, sim, delegar para gerar autoconfiança e poderem perceber sua própria capacidade para agir para si e por si mesmos.
- Apesar do medo, é importante que os pais trabalhem a ideia de soltar e dar independência aos filhos. Como eles vão aprender a confiar em si mesmos se os pais os levam a todos os lugares e não lhes dão alguma liberdade para aprenderem que podem ser autossuficientes? E depois ainda se queixam de que vivem para os filhos! Por opção ou por desconfiança? Reflita. É normal não deixar o filho andar sozinho à noite ou

de madrugada; porém, desconfiar que ele não sabe atravessar uma rua ou tomar um ônibus ou metrô, é demais! Os pais podem ensiná-lo e lhe dar um espaço para mostrar que aprendeu. Minha filha, quando tinha mais ou menos onze para doze anos, sempre estava perdida, nunca sabia se localizar. Uma vez se perdeu nas redondezas de casa. Para forçar um pouco seu sentido de orientação, disse-lhe que quando se sentisse perdida, deveria olhar o nome da rua e o número onde estava e deveria ligar para mim, que eu a orientaria. É claro que fez isso algumas vezes; porém, em pouquíssimo tempo aprendeu a se localizar e a partir de então, sempre ia e vinha, atendendo aos seus compromissos estudantis, encontros com amigos etc. Sozinha e sempre se sentindo altamente segura.

- Os pais devem trabalhar o orgulho e a vaidade (o orgulho de acharem que o filho tem de ser o que eles esperam, para que se sintam felizes e realizados, pois essa atitude vaidosa gera falta de respeito à natureza do filho).
- Reflita: os filhos são o espelho exagerado do que os pais são ou como agem subliminarmente. Observe-se!
- Os pais devem criar um diálogo melhorado.
- Expressar claramente o que se pensa, o que se quer, fazendo reivindicações claras.
- Gerar a ideia de autorresponsabilidade, sem mimos ou protecionismos.
- Não criticar ou fazer cobranças, mas sim colocações sobre os aspectos positivos dele e expressar o que in-

comoda ou o que não está bom, sem lições de moral, podendo dar sugestões ou compartilhar sua própria experiência.

- Fazer reflexões que o façam perceber qual a vantagem ou o objetivo ao manter determinado comportamento.
- Ser consistente ao colocar limites (sim/não claros, objetivos e firmes).
- Não conceder ou concordar simplesmente sem que haja uma ideia de troca; valorizar acordos. Isso é muito importante desde cedo. Toda concessão deveria conter um acordo de reciprocidade, por exemplo: o *que você vai dar em troca?; Poderei contar com você para...?*
- Passar a ideia de compreensão: *posso compreender o que você fez, mas não aprovo; não tenho de fazer o que você quer para provar que o amo; o mundo não vai fazer o que você quer; isso é mimo.*
- Lares com valores sólidos e bons, em que as atitudes dos adultos são de fato modelares, tendem a desenvolver adolescentes mais resilientes, com mais possibilidades de resistirem às pressões sociais.
- Ensinar o adolescente a lidar com o consumismo – pela transmissão de conceitos de *ser* e não *ter*. O importante é *ser* e não *ter* um monte de coisas, confundido o valor pessoal com esses aspectos materiais. E aqui não estou falando de ideias contidas em uma religião específica. Aliás, o adolescente pode também ser bem avesso às lições religiosas. Estou falando de conceitos morais, de transparência de princípios e ati-

tudes coerentes. O que se quer do outro, se faz, correto? O ideal é tratar o filho/aluno como queremos ser tratados.

- Promover o contato com a realidade para ajudar o adolescente a sair do idealismo. Por exemplo: *O que você quer? Aonde quer chegar? O que acha necessário fazer ou por onde começar para conseguir concretizar o que quer?* Transmitir conceitos de valorização da tentativa sem colocar a condição de valor pessoal no resultado final, ou na condição de *somente se* ou *somente quando.*

- Aos professores, pede-se que, respeitando a confiança que a sociedade lhes dá, que respeitem a si mesmos, não barateando a grandeza da sua missão, e que respeitem em cada aluno uma expressão única da *vida.* Que eles se vejam como seres em evolução, auxiliando seres em evolução. É preciso que se façam respeitar pela sociedade e isso somente será possível demonstrando capacidade intelectual, interesse educacional e generosidade humana.

- É necessário que os professores prestem atenção aos adolescentes e os deixem falar, que respeitem o que dizem e sintam com humildade o que podem aprender com eles.

- É importante que pais e mestres, treinem o não julgamento, desprogramando-se, revendo conceitos de medos, raivas, culpas, individualidade, espontaneidade e perdão. Aqui podemos perceber como alguém (pai/mãe/professor) equilibrado e de bem consigo mesmo, pode ser um bom exemplo para um adolescente, e, que, obviamente terá condições excelentes em lidar com ele, e sempre saberá o que fazer.

No que se refere a possibilidades de ajuda, a fim de trabalhar a autoestima e a personalidade equilibrada, relaciono algumas propostas de atividades interessantes, as quais espero que escolas, professores e políticos possam refletir quanto a possibilidade de abrir espaço para que sejam implantadas ou que os jovens tenham facilidade de acesso a elas.

- *Arte-terapia*. Facilita a autoexpressão sem críticas ou comparações.
- *Dança de salão*. Promove a autoestima e um estilo saudável de vida.
- *Capoeira, Danças Folclóricas*. Contribui para a construção da identidade cultural e favorece a socialização.
- *Kung-fu, Tai-chi-chuan, Taekondo, Karatê* e outras artes marciais. Conferem saúde, cultura corporal e expressão da agressividade subliminar, gerada por conta da autocrítica e de sensações de incapacidade.
- *Clown*. Trabalha a expressão criativa, o espírito de grupo, os sonhos e a espontaneidade.
- *Teatro*. Trabalha a expressão, a criatividade, a transmissão de valores positivos e atua como um espaço de expressão espontânea e criativa.
- *Contos e Artes*. Resgata histórias de vida, descoberta de valores, conceitos e atitudes positivas em relação à vida.
- *Técnicas de Relaxamento e Meditação*. Contribui para a diminuição da ansiedade e para a melhoria do

contato interno com sua natureza verdadeira, e facilita as experiências transcendentais. É muito interessante quando um sujeito dependente químico, por exemplo, descobre que pode entrar em estados alterados de consciência sem a droga e se sentir muitíssimo bem e fortalecidos por meio dessas experiências.

- *Filosofia*. Ajuda a criar um espaço para discussões em grupo e facilita a expressão de ideais que não estão pautadas em antigos valores ou dogmas ultrapassados, com a possibilidade de trabalhar conceitos positivos que alimentam o corpo e a mente. É interessante dar espaço para sua contribuição criativa por meio de técnicas de *brainstorming*[5], por exemplo.

- *Biodança*. Técnica expressiva que se utiliza de movimentos e músicas específicas para o trabalho com as emoções, e visa equilibrar as linhas vitais, como: criatividade, vitalidade, sexualidade, afetividade e transcendência, gerando centralidade, alegria, espontaneidade, facilidade de expressão, socialização adequada e equilíbrio emocional da pessoa consigo mesma e com o grupo em que vive. O principal objetivo é a saúde emocional, maior centralidade, com o consequente controle real da ansiedade, eliminação do processo de somatizações e estresse, melhoria nas dificuldades de expressão e me-

---

5 *Brainstorming*: no sentido literal significa tempestade cerebral, ou tempestade de ideias. Mais que uma técnica de dinâmica de grupo, é uma atividade desenvolvida para explorar a potencialidade criativa de um indivíduo ou de um grupo – criatividade em equipe – colocando-a a serviço de objetivos predeterminados (N.E.).

lhoria da autopercepção, com consequente expressão de si mesmo no grupo familiar e social.

Em certa ocasião recebi, via e-mail, onze conselhos de Bill Gates sobre coisas que não se aprende na escola e que gostaria de inserir aqui como reflexão para os pais e adolescentes:

1. A vida não é fácil. Acostume-se com isso.
2. O mundo não está preocupado com a sua autoestima. O mundo espera que você faça alguma coisa útil por ele *antes* de se sentir bem consigo mesmo.
3. Você não ganhará US$ 40.000 por ano assim que sair da escola. Você não será vice-presidente de uma empresa com carro e telefone antes que tenha conseguido comprar seu próprio carro e telefone.
4. Se você acha seu professor rude, espere até ter um chefe. Ele não terá pena de você.
5. Fritar hambúrgueres não está abaixo da sua posição social. Seus avós têm uma palavra diferente para isso – eles chamam de oportunidade.
6. Se você fracassar, não é culpa de seus pais; então não lamente seus erros, aprenda com eles.
7. Antes de você nascer, seus pais não eram tão chatos como agora. Eles só ficaram assim por pagarem suas contas, lavarem suas roupas e ouvirem você falar o quanto você mesmo é legal. Então, antes de salvar o planeta para a próxima geração, querendo consertar os erros da geração dos seus pais, tente limpar seu próprio quarto.

8. Sua escola pode ter eliminado a distinção entre vencedores e perdedores, mas a vida não é assim. Em algumas escolas você repete mais de ano e tem quantas chances precisar até acertar. Isso não se parece com absolutamente *nada* na vida real.

9. A vida não é dividida em semestres. Você não terá sempre os verões livres e é pouco provável que outros empregados vão ajudá-lo a cumprir suas tarefas ao fim de cada período.

10. Televisão *não* é vida real. Na vida real, as pessoas têm de deixar o barzinho ou a cafeteria e ir trabalhar.

11. Seja legal com os *nerds*. Existe uma grande probabilidade de você vir a trabalhar para um deles.

Particularmente, gostei desses conselhos, e uma dica interessante que eles passam é o aspecto de responsabilidade e realidade, deixando o ideal de lado. Afinal, não estamos no ideal, estamos no real. Podemos ter ideais que poderão ser desenvolvidos e colocados em prática. É importante ter isso em mente para não ficarmos eternamente chocados com a realidade, cada vez que saímos dos nossos ideais e entramos em contato com a realidade que nos cerca e onde vivemos a cada dia.

# O relacionamento ideal – conceito da chama gêmea

Será que é possível um relacionamento autêntico, com aquela troca sadia, em que cada um faz a sua parte? Sem dúvida, há muito que trabalhar em nós mesmos para chegarmos a isso. Precisamos entender um pouco os códigos de conduta para os homens e mulheres que recebemos em termos tradicionais. Sim, pois a educação que se recebe na família e na sociedade ainda é diferente para homens e mulheres. Carl Gustav Jung falava sobre arquétipos, que é um tipo de arquivo que temos em nosso inconsciente, onde estão registrados a memória da raça, todos os conceitos concernentes à história do homem no planeta, seus medos, suas conquistas etc. Digamos que uma pessoa nasça em Londres e seja do sexo masculino. Ele tem como arquétipo todo o histórico do homem na Terra, na Inglaterra e em Londres. São como códigos de conduta, que são reforçados pela educação que se recebe. Assim, percebemos que desde tempos antigos, há uma separação, algo diferente que é passado e solicitado ao homem e à mulher. A mulher carrega a história de milênios de submissão e sentimento de inferioridade. O homem, o peso de ter de ser o supridor, nunca falhar sexualmente e algumas ideias machistas. Só que os tempos estão mudando, o planeta evoluindo e os códigos precisam mudar. Há a necessidade de nos vermos como espíritos que em determinado momento podemos ser homem ou mulher.

Assim, há a necessidade, em termos de evolução e integração, de trabalharmos a fusão do masculino e do feminino, pois o funcionamento do homem é diferente do da mulher. Quando falo em integração, estou me referindo à necessidade de integração dos aspectos *ying* (princípio feminino) e *yang* (princípio masculino) em nossa personalidade. A natureza já é dotada desse equilíbrio, mas nos afastamos dela por conta das crenças que temos a nosso respeito; modelos tradicionais sociais e familiares, que nos afastaram ou nunca nos aproximaram do centro verdadeiro e natural de nosso ser. Tradicionalmente, os homens costumam ter maiores bloqueios em seus centros de sentimento do que as mulheres; supõe-se que a energia deles está estagnada porque sobe do primeiro para o segundo chacra e para. É como se ao longo do tempo o centro do sentimento da vibração masculina não tivesse sido ativado, talvez porque tenham sido muito cobrados em termos de agir, decidir, guerrear, lutar contra inimigos para proteger a prole, as terras, e partir para as conquistas. A mulher, com sua energia feminina, que sente, traz a vida ao planeta e representa criatividade, intuição, receptividade, criatividade, compaixão e nutrição entrou em estado de submissão para dar oportunidade à vibração masculina, para governar o mundo.

Nas últimas décadas, a mulher está recuperando seu espaço, repensando suas ações e se fazendo presente em praticamente todos os setores, porém está um pouco perdida. Ela não tem de parecer com um homem para vencer. Apenas precisa ser uma mulher e confiar em sua percepção e seus potenciais.

Enfim, para que haja uma real transformação desses códigos de valores comportamentais há a necessidade de ativarmos em nós mesmos o que podemos chamar de *chama gêmea*, que consiste na integração da energia masculina e feminina coexistindo num só corpo, quer seja ele fisicamente masculino ou feminino. O processo de integração e maturidade leva a pessoa a equilibrar os aspectos *ying* e *yang* em sua natureza. Assim, o homem precisa resgatar o seu lado *ying* e a mulher o *yang*, só que de uma maneira harmônica. O homem precisa integrar o sentir, a intuição e a receptividade, sem confundir com pouca masculinidade ou fraqueza. A mulher precisa integrar o poder de decisão e firmeza, sem confundir com ser masculinizada e agressiva.

A chama gêmea não significa a existência de alguém lá fora que vai completar outro alguém, mas sim a integração de um ser que, enquanto íntegro e completo, atrairá outro igual para fazer companhia, conviver, caminhar lado a lado e interagir. Não será igual aos relacionamentos tradicionais, que são comumente baseados na ideia de complemento, na dependência emocional de alguém que vai suprir as necessidades do outro.

Pessoas inteiras procurarão unir-se a outras pessoas inteiras. E esses relacionamentos não se basearão em *eu preciso de você para me completar e me dar vida*. A ideia é de convivência leve e sem dependência, gerando troca e cooperação.

A essência feminina, portadora de vida, sensível, mais a essência masculina, potência, racionalidade e intelectualidade, tornam uma pessoa inteira. E ela pode ligar-se a outra por desejo, confiança e afinidade, e não mais por necessidade, gerando relacionamentos com novos limites, novas definições, mais nutritivos, saudáveis e tremendamente positivos.

Percebo que realmente a proposta ainda pode ser considerada como um exagero ou utópica; porém, estamos caminhando para isso, com certeza. Temos, tanto homens como mulheres, uma herança muito acentuada de ansiedade, competição, poder e submissão.

Precisamos entender que se tudo aconteceu assim é porque foi necessário. Evoluir consiste nisso. Contudo, o que era importante e necessário antigamente, não o é mais nos tempos modernos. Tome como ponto de referência a tecnologia. Se hoje temos vários confortos, por que haveríamos de rejeitá-los e resgatar os utensílios antigos? Por exemplo, fogão a lenha, televisão preto e branco, enceradeira, escovão, máquina de escrever sem corretivo... Credo, diria você, jamais! Então por que não podemos rever nossos comportamentos e usar nossa percepção de forma mais direcionada? Freud falava que trazemos uma herança filogenética que demora cerca de trezentos anos para mudar, ou seja, cerca de seis gerações. Que tal começarmos a pensar em nossas mudanças, assim poderemos contribuir em apressar esse processo evolutivo?

A Terra está mudando em termos dimensionais, nós estamos sendo transformados, modificados em nosso DNA e toda essa aceleração no tempo está realmente acontecendo, por conta dessas mudanças. Mesmo que as pessoas não tenham consciência do processo energético, elas estão passando por ele. E é melhor que o façamos conscientemente. Reflita sobre como você pode se ajudar mais se fizer uma revisão nos valores e conceitos recebidos, noções de papéis de homem e mulher que estão obsoletos. Que tal nos vermos como espíritos que, de vida para vida, podem até mesmo trocar de sexo? Vamos sair do preconceito e nos assumirmos como espíritos, inteiros, coesos, verdadeiros deuses encarnados; só que, para que essa percepção se torne clara como um cristal, é necessário treino. Precisamos reaprender a nos enxergar com novos olhos, sem críticas, com amor incondicional pelo que somos por natureza e não por formação familiar ou social.

Daí a extrema importância de estarmos centrados, porque não podemos perceber ou atuar no ontem ou no amanhã; apenas podemos perceber e atuar no momento presente, a fim de gerar ações eficazes, satisfatórias e perfeitas que atendam ao que sentimos e necessitamos hoje. Perceba que teremos um futuro ótimo se tivermos um presente ótimo. Só depende de nós e de nossas ações eficazes. Apenas pensar não é agir. Pensar, sentir e agir é muito mais completo. Aliás, para que realmente concretizemos alguma coisa, precisamos seguir algumas etapas.

- **Refletir,** pensar o que queremos ou traçar a meta.
- **Decidir** por onde começaremos, os passos que daremos e o que faremos primeiro.
- **Agir,** caso contrário, nada se concretizará; mesmo se houver uma boa reflexão e decisão, se não houver ação, nada acontecerá. Assim, é importante desencadear a ação ou dar o primeiro passo.

Enfim, é por tudo isso que, em cursos ou palestras que realizo, enfatizo a respiração e as técnicas de relaxamento e meditação, para que eles possam treinar a atenção e estar centralizados, sem colocar o foco nos pensamentos desordenados que só causam ansiedade negativa, depressão e angústia. Nos livros *Em busca da cura emocional*, *É tempo de mudança* e *Ansiedade sob controle*[6], mencionei várias técnicas para o controle da ansiedade, angústia e depressão, que você poderá aprender e praticar.

Outrossim, gostaria de enfatizar algumas técnicas que você poderá praticar com muita facilidade.

Lembre-se, o que sente está relacionado com o que pensa! Não adianta dizer para si mesmo: *Não quero pensar*, pois vai pensar e cada vez mais. Conta uma história que num belo dia um imperador procurou Buda para que lhe ensinasse a meditar. Buda explicou-lhe que meditar era muito fácil e que bastava que ele se sentasse na posição de lótus. Disse que poderia pensar em qualquer coisa, menos em elefantes verdes. Passado um mês, o imperador retornou desespera-

---

6 POSSATTO, Lourdes. *Ansiedade sob controle*. São Paulo: Lúmen Editorial (N.E.).

do e disse que se sentia muito mal, pois só o que conseguia pensar era em elefantes verdes. Buda então explicou que a essência da meditação, na realidade, não é negar ou ditar ordens para os pensamentos, mas sim não dar importância aos pensamentos, pois eles estarão ali, virão e irão embora se não lhes dermos atenção.

Assim, criar centralidade, silenciar a mente e meditar é um treino. Para facilitar, podemos tirar o foco dos pensamentos, colocando nossa atenção em outras coisas, como prestar atenção na respiração, não mudar a respiração, apenas tomar consciência do ato de respirar. Depois, prestar atenção ao seu corpo, todas as partes, começando pela cabeça ou pelos pés, tanto faz. O importante é focar cada parte do corpo e perceber onde está, colocando a atenção no corpo, no aqui e agora, e se propor a relaxar, inspirando e expirando...

Outra forma de criar centralidade é *congelar*, ou seja, parar onde e da forma que estiver e congelar-se e prestar atenção na postura por cerca de trinta segundos. Essa técnica é muito eficaz para deter um processo de ansiedade.

Outras dicas é trabalhar os sentidos:

**Olhos.** Tente olhar com uma atitude contemplativa, o que você vê à sua volta, procurando não pensar. Se o que está olhando o fez lembrar de algo que não está lá, gentilmente leve sua atenção para o que está contemplando.

**Ouvidos.** Feche os olhos e ouça os ruídos presentes. Foque em cada um deles, ouça uma música, por exemplo, prestando atenção na letra, nos instrumentos e no arranjo musical.

**Olfato**. Pegue várias coisas com aromas diferentes e alinhe-as à sua frente. Feche os olhos e vá pegando uma por uma, dando um tempo para inspirar o aroma.

**Paladar**. Pegue vários alimentos com sabores diferentes e alinhe-os à sua frente. Feche os olhos e coloque cada um deles na boca, prestando atenção ao sabor e qual parte da língua sente mais esse sabor, na mastigação, na saliva, nos dentes, no jeito de engolir.

**Tato**. Tome um banho de olhos fechados e sinta o contato do seu corpo com a água, com o sabonete, as suas mãos no seu corpo, lavando cada parte. Sinta o perfume do sabonete, enfim, esteja centrado. Você perceberá que sensação gostosa e relaxante.

Selecione vários objetos com superfícies diferentes e de olhos fechados, pegue um por um. Role-o nos dedos, focando o contato, propondo-se a conhecer o objeto, observando a sensação que cada um lhe oferece.

Outra dica é pensar em algo que para você signifique amor. Feche os olhos, concentre-se na sua inspiração e inspire *amor incondicional* e expire *sem críticas*, imaginando-se nesse contexto amoroso.

Também é possível imaginar certas palavras escritas à sua frente, como silêncio, nada, amor, paz, harmonia, calma, tranquilidade, enfim, palavras que traduzem sentimentos gostosos, gratificantes, felizes.

Pode-se trabalhar a centralidade, o relaxamento e a meditação com mantras cantados, falados ou apenas imaginados, como se estivessem escritos à sua frente. Exemplos de mantras: *aum, om, om mani padme hum, hare om, om shanti om, amém, aleluia,* entre outros. Faça sua própria experiência com cada um deles e defina o que mais o envolve e acalma. Cada indivíduo tem sua própria necessidade e você pode se propor a descobrir o que é melhor e mais eficaz para você. O mais interessante é que você não precisa perder muito tempo nisso. Três a cinco minutos já é eficiente.

Uma coisa eu tenho certeza: você vai se sentir muito mais calmo, tranquilo, relaxado, e o que é mais interessante, sem ansiedade. Esses exercícios são muito eficazes para quadros como ansiedade, depressão, estresse, dores, tensões e para o controle e cura de doenças psicossomáticas. Se tudo o que sentimos está relacionado com o que pensamos, a eficácia está em colocarmos em nossa mente tranquilidade e centralidade, voltando-nos totalmente para o momento presente, onde teremos uma percepção clara de nós mesmos e da realidade que nos rodeia.

Assim, com certeza, vamos nos sentir melhores e mais centrados. Consequentemente, com a mente mais tranquila, poderemos nos perceber melhor, entrar em contato com o nosso verdadeiro jeito de ser e nos transformarmos naquilo que somos por essência. Esse é o trabalho de cada um. E se cada um fizer a sua parte, logo teremos pessoas inteiras encontrando e se relacionando com pessoas inteiras. Talvez o ideal de relacionamento não esteja tão distante. Como sou otimista, quero crer que já está para acontecer e se concretizar!

# A relação com Deus

Já vimos como é importante a relação consigo mesmo por meio do autoconhecimento. E a atitude a ser usada é a do amor e da compreensão de vários aspectos, como seu propósito de vida, sua formação, as crenças e decretos que você introjetou, suas necessidades e carências e o processo de autossuprimento.

O relacionamento com o outro já foi ventilado nas páginas anteriores.

Mas e a relação com Deus? Deus, em minha opinião, não é propriedade de nenhuma religião. Apesar de ter sido ainda provada pela ciência creio que, por uma questão de inteligência, a noção da existência de um criador é inquestionável. Para chegar a Deus, olhemos para o nosso corpo e a inteligência incrível que rege nossa natureza, isso que está tão próximo de nós. A alma é eterna, assim, nunca morremos, incorremos sim em transformações, na troca da vestimenta terrestre, dentro de um processo de evolução, vida após vida, em vários orbes, rumo à casa do Pai. Tudo o que é no macro é no micro. Logo, Deus está dentro de cada um, no coração, no sentir, em cada átomo do corpo, em toda a natureza. E Deus está no outro, claro! Para a física quântica não há espaços entre eu e o outro; assim, tudo o que eu fizer terá uma ressonância à minha volta. Por essa razão a responsabilidade em cuidar para que nos sintamos bem e atuemos em prol de nós mesmos. Isso é responsabilidade com o todo e não egoísmo como afirmam alguns.

A relação com Deus, para mim, é esse reconhecimento. *Eu sou Deus em ação!* Ou a noção da presença de Deus em mim, agindo, pensando, sentindo.

*Eu sou* Deus em ação, atuando por meio desta mente e deste corpo.

Em vivências, por meio da meditação, isso fica muito claro. A mesma matéria-prima que está contida em tudo, está dentro de cada um, e isso é Deus. Profundo, não? Contudo, corretíssimo. Cabe a cada um meditar e vivenciar esse sentimento!

Se você se propuser a ficar em contato com essa presença que fala por meio do seu sentir, você estará criando um grande encontro com seu deus interior.

*Vós sois deuses!* Não é o que dizia o mestre Jesus? E alguém ousa questionar? É, parece que os cientistas querem questionar; enfim, cada um dá o uso que quiser à sua inteligência, não é mesmo? Só que deveriam pensar em quanta energia se gasta em raciocínios altamente lógicos, quanta massa encefálica se usa para negar algo que está tão próximo e tão claro, que somente o sentir pode explicitar! A espiritualidade nos coloca que é uma questão de tempo para que os cientistas cheguem à inevitável verdade. Se você for um explorador e um verdadeiro cientista, pare e sinta, reconheça e ouça sua natureza. Ela falará mais do que todas as grandes teorias científicas.

Um maravilhoso e simples trabalho de observação, como faziam os taoístas é observar a sua natureza. Por exemplo, perceba que quando você está numa posição incômoda, você se sente desconfortável. É como se o seu corpo estivesse falando: *Por favor, movimente a perna, pois está formigando.* E então o que você faz? Levanta-se, estica o corpo, muda de posição, a fim de facilitar a circulação e ficar mais confortável, certo? Veja bem, a natureza prima pelo conforto, e você terá os toques por meio das sensações do que precisa fazer para melhorar. Se isso é válido para o corpo, é válido também para o emocional e todos os aspectos de sua vida. A lei é a mesma.

Reflita! Proponha-se a respeitar o que você sente!

Lembre-se: não pense... sinta!

E crie maravilhosos relacionamentos! Com você, com o outro e com Deus!

Desejo-lhe muita paz e muita luz!

# Conjecturas pessoais com base na gestalt-terapia

> Eu sou eu
> E você é você.
> Eu faço as minhas coisas
> E você faz as suas.
> Não estou neste mundo para atender às suas expectativas
> E você não está aqui para atender às minhas.
> Eu sou eu
> E você é você.
> E, se por acaso nos encontramos, é lindo.
> Senão, não há nada a fazer.
>
> F. Perls

É isso, nada há a fazer mesmo! Pode parecer frio, realmente, porém algo deve ser colocado no meio. As esperanças, o sentir que vale a pena tentar, correr o risco e assumir as consequências desse risco, que são probabilidades iguais para mais ou menos, positivo ou negativo. É admirável correr riscos e expressar isso. É, sobretudo, enriquecedor ter vivenciado algo, mesmo que tenha havido certo sofrimento, mas o sentir que valeu a pena ter tentado é mais importante. E sentir que aquele dado momento foi importante e gostoso, é melhor ainda. Melhor mesmo é tentar sem grandes expectativas.

Não se deve ter medo das emoções ou paixões. Talvez o que possa haver é um certo receio na hora que se conclui de que se deve desvencilhar delas, ou relegá-las num dado momento. Talvez seja um pouco melancólico. Mas enriquece, a gente se enriquece a cada novo tentar.

Ousar, desafiar o perigo, fazer tentativas, que até podem ser perigosas, eventualmente se machucar, tudo isso representa o lado negativo de correr riscos. Há, porém, o lado positivo que tem de ser levado em conta em qualquer ação: o ganhar, o vivenciar algo, o enriquecer-se pelo contato com o outro, com as coisas, o compartilhar experiências, o novo e mútuo conhecimento e a troca de emoções, sensações e descobertas. Nada é para sempre. Todas as consequências dos riscos têm de ser assumidas, conscientemente, pelo ser adulto. E correr riscos requer uma preparação da pessoa para consigo mesma. O assumir é a principal diferença do ser adulto... e talvez a etapa realmente mais difícil.

Enfim, que tal viver? Sem expectativas? E seguir, deixar-se fluir, como *O Louco* do Tarot... ele é aquele que precisa ir, continuar buscando, mesmo que ainda não saiba o quê... ele só não pode parar, porque isso significaria a morte existencial ou a morte dos sentidos.

Onde você está nesta questão? Sinta...

## Um certo encontro

### *Lourdes Possato*

Estou voltada para mim mesma
Como um ser que se volta para a essência
Como a flor que no fim da tarde se fecha
Como a volta de algo simples para o complexo
Estou voltada para minhas sensações
E elas me soam confusas
Como redemoinhos dentro de um lago
Como ventos que sopram de repente
Um arrepio me percorre toda
E percebo a minha globalidade
Minha integração entre cabeça e corpo
Como um ser total e pulsante
Algo está presente: você
E eu também me sinto presente
Como a centelha do início da fogueira
Como uma estrela que nunca se apaga
Você me diz que meus olhos são únicos
E transmitem coisas inexplicáveis
Eu sinto que me transcendo
E sinto que sou muito mais do que isto
Corpo, mãos, olhos, ser,
espírito, psique, alma
Coração = eu mesma!
Eu... Você = Nós
Num certo encontro.

É lindo... enquanto formos
O que realmente somos!

## Contato

Neste momento estou em contato
Com um sentimento de união extrema
Com as pessoas que me rodeiam
Sinto que posso tocá-las, senti-las
Sinto que sou amada
E que faço bem a elas
Sinto que a solidão não existe
Nunca... é mais um estado momentâneo
Pois as coisas existem,
Estão aí para que eu as veja
Toque, sinta como parte do meio
Que é... existe... simplesmente.
As coisas, pessoas estão aí
Seguindo, até certo ponto,
Predeterminadas por alguém muito superior.
E eu também estou aqui
Cumprindo algo, uma missão
Não sei...
O importante é que eu tenha presente
Que esta é minha vida, isto sou eu
E eu devo ser o melhor que puder ser
Na rota da vida,
Na roda da existência
Que, como um círculo vicioso,

Gira, e gira, e gira...
Cada um, cada coisa, cada ser vivo,
Sendo, simplesmente o seu momento
Desta vida, roda existência
Como o tempo que segue, mas que,
Numa visão mais profunda, é parado,
Infinitamente parado
Não dá para avaliar o seu momento universal.
Cada ser, neste tempo
Praticamente não existe só
Somos eternos...
Cada coisa, numa infinita rota
De evolução... constante... determinada
O *ser* realmente é o mais importante
Estou em contato com isso agora,
Porque *eu* simplesmente *sou*!

## Eterno movimento

### Lourdes Possatto e grupo de Biodança

Eu procuro um movimento completo
Uma forma de me sentir bem
Seja com o balanço das ondas, me embalando,
Balançando no espaço, flutuando no ar
Tudo isso me conduz a você, a todos vocês.
Foi como um rodopiar, me perdendo, tonto
Foi como um libertar, solto de todos os problemas
De todas as dificuldades, me encontrando comigo mesmo
Com a natureza, me encontrando numa estrada

Correndo nesta estrada da vida.
Eu sou como a própria natureza, aberto, livre, uníssono,
Maleável e espontâneo, tortuoso às vezes, inexplicável
   outras
Algo como transcendental, em busca de uma realização
Com a alma livre e aberta, com os olhos brilhando.
Aí então pude notar que eu sou uma criança
Aprendendo a andar, voltando ao passado, começando a
   crescer
Caindo, às vezes, subindo uma montanha, me realizando
Num simples sentir, e sentindo a força da vida em mim
Chegando ao meu eu mais profundo.
Eu igual à consciência, plenitude
Eu igual a tudo e nada
Eu igual a belo e feio
Eu igual a muito e pouco
Eu igual a cheio e vazio
Eu igual a triste e alegre
Eu igual a bonito, livre
Eu igual a eu total
Eu igual a você
Você igual a mim
Sem expectativas, é o que deve ser,
É o que vale ser
É o que vamos ser
Eu igual a eu igual a *ser*
Você igual a você igual a *ser*
Nós igual à *vida*!
*Ser vida* igual ao *Todo-Deus*!

## Conjecturas, Sonhos e Paixões

### Lourdes Possatto

Sonhos... fantasias... amor...
Tudo forma uma rede intrincada.
Como é fácil perder-se neles!
Estou em contato com minha real capacidade
De me entregar a isso tudo,
De amar e me perder em fantasias,
E me dar e me perder dentro do outro,
E me deixar levar pelo sentimento intenso.

Isto não é fraqueza, afinal,
Trata-se de intensidade.
Isto não é ser criança
Trata-se de estar verdadeiramente vivo.
E assim sou eu...

Tomo contato, todavia, com a tristeza
De ver ruir todos os castelos,
De ter de adiá-los ou forçar-me
A não mais pensar neles.
E também, ter, necessariamente,
Que contar só comigo para superar
Momentos de perda, de estar só
E absolutamente só com meus pensamentos.

Emoções que me fazem querer jogar tudo fora,
Toda esta tensão, toda esta neurose,

Toda esta importância que lhe dou,
Faz-me querer extravasar, gritar, sei lá.
E, no fundo, sei que não adianta.
Com isso, acabo revolvendo mais e mais tudo isso,
E me perco de novo, em pensamentos...
Fantasias... sonhos... amor...
De que vale tudo isto, afinal?

Valem os momentos que se vive,
Responderia alguém, e eu
Irremediavelmente concordo.
A felicidade está nesses pequenos momentos,
E como ela é sutil, e como ela é fugaz!
Aparece... está... e se desmancha no ar.
E pergunto: haverá possibilidade, um dia,
De encontrá-la e fazê-la permanecer?
Talvez! Porém, acho que nossa
Maneira complicada de ser
Dificulta o simples das coisas,
E nos afasta do ponto de ser feliz
Simplesmente... como o sol,
Como a natureza... como os animais
Que simplesmente são.

Que tristeza pensar que não somos,
Afinal, tão naturais.
Ou melhor, somos, mas não estamos...
Haverá solução para isso tudo?
Talvez!... Sim... No recomeçar...

No dar tempo ao tempo...
Amadurecer... Crescer...
Sedimentar as esperanças...
Sem deixar de ser aqui e agora
Enriquecer com as experiências...
Nem que seja como fuga
Para superar o momento difícil,
E depois se dar de novo, e recomeçar
Num ciclo, vicioso, talvez,
Mas assim é que é a vida.
E o importante é viver.
O importante é o encontro... reencontro
Comigo... com você... com a vida...
Com Deus... com o Universo...
Em mim mesma... ou *eu sou* em mim!

## Todo casal deveria ler

### *Arthur da Távola*

Por mais que o poder e o dinheiro tenham conquistado uma ótima posição no ranking das virtudes, o amor ainda lidera com folga. Tudo o que todos querem é amar. Encontrar alguém que faça bater forte o coração e justifique loucuras.

Que nos faça entrar em transe, cair de quatro, babar na gravata. Que nos faça revirar os olhos, rir à toa, cantarolar dentro de um ônibus lotado.

– Tem algum médico aí?

Depois que acaba esta paixão retumbante, sobra o quê? O amor. Mas não o amor mistificado, que muitos julgam ter o poder de fazer levitar. O que sobra é o amor que todos conhecemos, o sentimento que temos por mãe, pai, irmão, filho. É tudo o mesmo amor, só que entre amantes existe sexo. Não existem vários tipos de amor, assim como não existem três tipos de saudades, quatro de ódio, seis espécies de inveja. O amor é único, como qualquer sentimento, seja ele destinado a familiares, ao cônjuge ou a Deus

A diferença é que, como entre marido e mulher não há laços de sangue, a sedução tem que ser ininterrupta.

Por não haver nenhuma garantia de durabilidade, qualquer alteração no tom de voz nos fragiliza, e de cobrança em cobrança acabamos por sepultar uma relação que poderia ser eterna.

Casaram. Te amo pra lá, te amo pra cá. Lindo, mas insustentável. O sucesso de um casamento exige mais do que declarações românticas. Entre duas pessoas que resolvem dividir o mesmo teto, tem que haver muito mais do que amor, e às vezes nem necessita de um amor tão intenso. É preciso que haja, antes de mais nada, respeito. Agressões zero. Disposição para ouvir argumentos Alheios. Alguma paciência. Amor, só, não basta. Não pode haver competição. Nem comparações. Tem que ter jogo de cintura para acatar regras que não foram previamente combinadas. Tem que haver bom humor para enfrentar imprevistos, acessos de carência, infantilidades.

Tem que saber levar. Amar, só, é pouco.

Tem que haver inteligência. Um cérebro programado para enfrentar tensões pré-menstruais, rejeições, demissões inesperadas, contas para pagar. Tem que ter disciplina para educar filhos, dar exemplo, não gritar. Tem que ter um bom psiquiatra. Não adianta, apenas, amar. Entre casais que se unem visando a longevidade do matrimônio tem que haver um pouco de silêncio, amigos de infância, vida própria, um tempo para cada um.

Tem que haver confiança. Uma certa camaradagem, às vezes fingir que não viu, fazer de conta que não escutou. É preciso entender que união não significa, necessariamente, fusão. E que amar, somente, não basta. Entre homens e mulheres que acham que o amor é só poesia, tem que haver discernimento, pé no chão, racionalidade. Tem que saber que o amor pode ser bom, pode durar para sempre, mas que sozinho não dá conta do recado. O amor é grande, mas não é dois. É preciso convocar uma turma de sentimentos para amparar esse amor que carrega o ônus da Onipotência. O amor até pode nos bastar, mas ele próprio não se basta. Um bom amor aos que já têm! Um bom encontro aos que procuram! E felicidades a todos nós!

# Obras da terapeuta Lourdes Possatto
## O caminho do autoconhecimento

EQUILÍBRIO EMOCIONAL – COMO PROMOVER A HARMONIA ENTRE PENSAR, SENTIR E AGIR – Neste livro, a autora nos ensina a conhecer nossos próprios sentimentos, atingindo dessa forma o equilíbrio necessário para uma vida emocional saudável.

EM BUSCA DA CURA EMOCIONAL – "Você é cem por cento responsável por você mesmo e por tudo o que lhe acontece". Esta Lei da Metafísica é abordada neste livro que nos auxilia a trabalhar a depressão, a ansiedade, a baixa auto-estima e os medos.

É TEMPO DE MUDANÇA – Por que somos tão resistentes às mudanças? Por que achamos que mudar é tão difícil? E por que não conseguimos as coisas que tanto queremos? Este livro nos ajuda a resolver os bloqueios emocionais que impedem nossa verdadeira felicidade.

A ESSÊNCIA DO ENCONTRO – Afinal, o que é relacionamento? Por que vivemos muito tempo presos a relacionamentos enganosos em um mundo de ilusão como num sofrimento sem fim? Aqui você encontrará dicas e reflexões para o seu verdadeiro encontro.

ANSIEDADE SOB CONTROLE – É possível deixarmos de ser ansiosos? Não, definitivamente não. O que devemos fazer é aprender a trabalhar com a ansiedade negativa.

MEDOS, FOBIAS E PÂNICO – Do que você tem medo? Medo de viver? Medo de morrer? Medo de doenças? Do escuro, de água, de altura, de insetos, de animais, de perdas materiais, de perder pessoas queridas? Medo de que o mundo acabe? Medo do futuro, hipocondria, claustrofobia, solidão, medo de sonhar, medo de dormir, síndrome do pânico, fobias? Medo de ser você mesmo? Saiba, então, que esses medos são comuns e saudáveis.

POR QUE SOFREMOS TANTO? – Leia esta obra e compreenda que problemas fazem parte da vida e que cada um é como é. A aceitação dos fatos como se apresentam é o primeiro passo para a reeducação emocional, um trabalho renovador que nos leva a um processo evolutivo maravilhoso, rumo à felicidade e ao bem viver. Com alegria e sem sofrimento.

# Leia os romances de Schellida!
## Emoção e ensinamento em cada página!
## Psicografia de Eliana Machado Coelho

CORAÇÕES SEM DESTINO – Amor ou ilusão? Rubens, Humberto e Lívia tiveram que descobrir a resposta por intermédio de resgates sofridos, mas felizes ao final.

O BRILHO DA VERDADE – Samara viveu meio século no Umbral passando por experiências terríveis. Esgotada, e depois de muito estudo, Samara acredita-se preparada para reencarnar.

UM DIÁRIO NO TEMPO – A ditadura militar não manchou apenas a História do Brasil. Ela interferiu no destino de corações apaixonados.

DESPERTAR PARA A VIDA – Um acidente acontece e Márcia passa a ser envolvida pelo espírito Jonas, um desafeto que inicia um processo de obsessão contra ela.

O DIREITO DE SER FELIZ – Fernando e Regina apaixonam-se. Ele, de família rica. Ela, de classe média, jovem sensível e espírita. Mas o destino começa a pregar suas peças...

SEM REGRAS PARA AMAR – Gilda é uma mulher rica, casada com o empresário Adalberto. Arrogante, prepotente e orgulhosa, sempre consegue o que quer graças ao poder de sua posição social. Mas a vida dá muitas voltas.

UM MOTIVO PARA VIVER – O drama de Raquel começa aos nove anos, quando então passou a sofrer os assédios de Ladislau, um homem sem escrúpulos, mas dissimulado e gozando de boa reputação na cidade.

O RETORNO – Uma história de amor começa em 1888, na Inglaterra. Mas é no Brasil atual que esse sentimento puro irá se concretizar para a harmonização de todos aqueles que necessitam resgatar suas dívidas.

FORÇA PARA RECOMEÇAR – Sérgio e Débora se conhecem e nasce um grande amor entre eles. Mas encarnados e obsessores desaprovam essa união.

LIÇÕES QUE A VIDA OFERECE – Rafael é um jovem engenheiro e possui dois irmãos: Caio e Jorge. Filhos do milionário Paulo, dono de uma grande construtora, e de dona Augusta, os três sofrem de um mesmo mal: a indiferença e o descaso dos pais, apesar da riqueza e da vida abastada.

PONTE DAS LEMBRANÇAS – Ricos, felizes e desfrutando de alta posição social, duas grandes amigas, Belinda e Maria Cândida, reencontram-se e revigoram a amizade que parecia perdida no tempo.

MAIS FORTE DO QUE NUNCA – A vida ensina uma família a ser mais tolerante com a diversidade

MOVIDA PELA AMBIÇÃO – Vitória deixou para trás um grande amor e foi em busca da fortuna. O que realmente importa na vida? O que é a verdadeira felicidade?

MINHA IMAGEM – Diogo e Felipe são irmãos gêmeos. Iguais em tudo. Até na disputa pelo amor de Vanessa. Quem vai vencer essa batalha de fortes sentimentos?

# Leia também estes imperdíveis romances do espírito Fernando

## Psicografia de Lizarbe Gomes

### Veredas da Paz

Floriano Sagres, escritor e jornalista, é casado com Diana Veiga, uma atriz muito talentosa e reconhecida. Ambos vivem uma vida feliz, até que ela conhece Vinícius, um produtor de TV e por ele se apaixona. Nesta obra aprendemos as verdadeiras consequências da Lei de Ação e Reação e entendemos também que a todos é dada uma oportunidade de multiplicar o amor rumo à construção da felicidade, pois ela é o instrumento maior de nossa evolução espiritual.

### O Monge e o Guerreiro

Edgar e Roberto Yunes são irmãos e empresários do ramo moveleiro na cidade de Curitiba. Edgar, casado com Stefânia, tem um filho: Reinaldo. Roberto se casa com Susana e ela engravida do pequeno Paolo. Depois de anos, os filhos de Stefânia e Susana descobrem um grande segredo que vai além da existência atual, mas que os une em sentimento.
Uma batalha interior começa entre ambos para a aceitação de uma situação indesejada.

### Uma chance para o amor

Tarsila é uma garotinha de sete anos. Desde cedo ela já revela a sua mediunidade: vê e conversa com Cristiana, sua mãe desencarnada. O pai, Fábio, não gosta muito desse assunto, mas o tio Álvaro, espírita, ajuda a menina com conversas e orientações. Até que Tarsila começa a frequentar o Centro Espírita Veredas da Luz e inicia seus estudos na Doutrina. Assim, vidas se entrelaçam e, por meio da bênção das reencarnações, mudam-se os papéis para o equilíbrio de todos.